Wetenschap en literatuur in discussie

Wetenschap en literatuur in discussie

Bericht uit de literaire salon

MET BIJDRAGEN VAN

WIL ARTS
CARINNE ELION VALTER
DONALD LOOSE
RON PIRSON
HERMAN DE REGT
JAN JAAP DE RUITER
HANNEKE VAN SCHOOTEN
KAREL SOUDIJN
WILLEM WITTEVEEN

UNIVERSITEIT VAN TILBURG

CENTRUM VOOR WETENSCHAP EN LEVENSBESCHOUWING

Wetenschap en literatuur in discussie
Bericht uit de literaire salon
Harald van Veghel (red.), CWL, Universiteit van Tilburg

ISBN 90 5573 562 0
NUR filosofie, woordenboeken
Trefw.: 730, 627

Realisatie: Uitgeverij DAMON bv
ISBN 90 5573 562 0

Inhoudsopgave

Voorwoord

Op het eerste gezicht schijnen wetenschap en literatuur twee tegen-
gestelden. In de literatuur gaat het immers om het regelloos en fan-
tastisch universum van de schrijver, zijn emoties en persoonlijke ervaring van de wereld; in de wetenschap gaat het om de objectieve
waarheid. En ook al schrijft de wetenschapper, net als de schrijver,
dan schrijft hij andere dingen, in een andere stijl, voor een ander
publiek. Toch lezen wetenschappers literatuur, en niet alleen voor
hun genoegen. Literaire teksten werken door in de wetenschap. Niet
alleen worden literaire teksten geciteerd, als illustratie en als inspiratie, ook blijken wetenschappers zelf, in de fundamentele keuzes
die zij maken, door literaire teksten gevormd te zijn. Kennelijk is de
betrekking tussen wetenschap en literatuur complexer dan op het
eerste gezicht lijkt.

Deze essaybundel komt voort uit de bijeenkomsten in 'de literaire salon' van het Centrum voor Wetenschap en Levensbeschouwing
van de Universiteit van Tilburg. Wetenschappers gingen op avonden
met elkaar in gesprek naar aanleiding van de vraag, welke literaire
tekst hen op een beslissende wijze had beïnvloed. Antwoorden op die
vraag liepen uiteen van 'geen enkele tekst' tot een heel specifieke
invloed van een bepaalde tekst op iemands wetenschappelijke loop-
baan. Een neerslag van deze gesprekken wordt hier gepresenteerd.

Wil Arts begint, of beter: eindigt op afstand. Hij schrijft over zijn
eigen afscheid van de jeugdige romantische verleiding om literaire
teksten toe te laten als bron voor de sociologie of daarin zelfs een
hoofdrol te geven. De cijfers lijken het van de woorden gewonnen
te hebben, in ieder geval voor Arts. De verleiding van het romantische levensgevoel blijkt zich echter nog steeds, ook aan hem, op te
kunnen dringen.

Jurist Willem Witteveen voert de discussie over het belang van
de literatuur niet op een theoretisch niveau maar vermengt zelf de
genres van wetenschap en literatuur, terwijl hij een filosoof, John

Rawls, en een dichteres, Wislawa Szymborska, met elkaar in discussie brengt. Daarbij ontspint zich een spel waaraan de lezer zich niet kan onttrekken, met als inzet de vraag of we de politiek ooit vanuit een oorspronkelijk standpunt kunnen bekijken.

Ook Donald Loose wordt niet geplaagd door de vraag wat de literatuur aan de wetenschapper te bieden zou hebben. Integendeel, hij geeft de literatuur, in dit geval de roman *De Gebroeders Karamazow* van Dostojewski, het volle gewicht om de Universiteit van Tilburg het vuur aan de schenen te leggen. Wat betekent het als een wetenschappelijke instelling een katholieke identiteit heeft? Moet men dan niet twee tegenstrijdige posities met elkaar verzoenen, namelijk die van het geloof en het weten? En heeft Dostojewski de onverzoenlijkheid van die twee posities niet exemplarisch in de broers Iwan en Aljosja neergezet?

Vervolgens keren we terug naar de vraag die Arts al stelde: welke rol literatuur voor de wetenschapper kan spelen. Psycholoog Karel Soudijn neemt net als Arts een terughoudende positie in. Aan de hand van een roman van Bernlef laat Soudijn een aantal mogelijke verbanden zien, die echter geen van alle betekenen dat literatuur zonder meer een bron voor de psychologie kan zijn. Vooral herinnert de literatuur de psychologie voortdurend aan het belang van het gebruik van beelden.

Exegeet Ron Pirson en arabist Jan Jaap de Ruiter nemen ons mee in hun eigen leesgeschiedenis. Voor Ron Pirson gaat het om de beslissende invloed die het werk van Tolkien, met name zijn *Lord of the Rings,* gespeeld heeft in zijn eigen intellectuele ontwikkeling. Eerst was er Tolkien, toen pas de bijbel. Beide werken vragen om een zorgvuldige lezing, en dus slijpt de literatuurwetenschap haar messen op zulke onuitputtelijke bronnen. Jan Jaap de Ruiter, die zich als auteur zowel op het terrein van de wetenschap als op dat van de literatuur heeft begeven, laat de spanning zien die twee dergelijke zielen in één borst opleveren, twee zielen die voor hem uiteindelijk weinig verbinding aangaan. Droeve berusting in de conditie van zijn existentie is zijn laatste woord.

Na zoveel scheiding, tot in de eigen inborst, zoeken de juristen Carinne Elion-Valter en Hanneke Schooten weer naar verbinding. Beiden zien er een verrijking in wanneer de rechtswetenschap zich aan de literatuur gelegen laat liggen. Carinne Elion-Valter verbindt een opera over een verre liefde met het erfrecht. De jurist kan in de opera het gevoel voor het tragische leren dat met nemen van beslissingen gepaard gaat. In het algemeen kan de literatuur juristen helpen om vernieuwende visies te ontwikkelen door hun verbeelding de ruimte te geven. Hanneke Schooten verkent deze ruimte van de verbeelding verder, op zoek naar de vraag hoe een tekst kan ontroeren. Het antwoord zoekt zij in de synesthesie: de vervlechting van de ervaring van verschillende zintuigen, het tegelijkertijd waarnemen van beelden, kleuren en muziek.

Ten slotte markeert Herman de Regt nog één keer de scheiding tussen wetenschap en literatuur. Van invloed is de literatuur wel, beslissend kan zij voor de wetenschapper niet zijn. In zijn betoog laat hij zien hóe beelden uit de literatuur hem beïnvloed hebben. Orwell en Borges hebben ieder op eigen wijze zijn grootste vrees vorm gegeven: dat de wetenschappelijke waarheid zou moeten buigen, voor politieke macht, het subjectieve oordeel of een samenleving die de belangstelling voor haar verliest.

Wetenschappers schrijven en vallen terug op teksten: zolang als het nog duurt tenminste. Dat loutere feit maakt al dat wetenschappers in een verhouding tot de literatuur staan. Maar de ene tekst is de andere niet: een wetenschappelijke tekst verschilt van een literaire. Wat echter precies het verschil is en hoe men zich dan als wetenschapper tot die andere, niet-wetenschappelijke tekst moet verhouden, dat is onderwerp van een voortgaande discussie. In de verkenningen van deze negen Tilburgse wetenschappers verschijnen wetenschappelijke en literaire teksten nu eens ononderscheiden, als bronnen waaruit de wetenschapper kan putten, dan weer gescheiden als twee onverzoenbare werelden, of ze worden voorzichtig op elkaar betrokken met aandacht voor het verschil. Wetenschap en literatuur blijken niet door een muur van elkaar gescheiden te zijn die voor eens en voor altijd de posities bepaalt. Eerder lijkt de scheiding op een lijn die steeds opnieuw getrokken en uitgeveegd kan worden, met als eindresultaat minstens dit: inspiratie.

Harald van Veghel,
Centrum voor Wetenschap en Levensbeschouwing,
augustus 2005

Sociologie en de romantische verleiding

Wil Arts

Like I said earlier, I was bored to tears by all the sociological crap I'd to shovel out for my degrees. I wanted something different. I wanted something to do with real people feeling real passion and I knew I had to turn from sociology to literature for that... (Reginald Hill, *Death's Jest-Book*)

Inleiding

Het Sociologisch Instituut van de Rijksuniversiteit Utrecht verhuisde in de zomer van 1969 van de naargeestige Varkensmarkt naar de al even droef stemmende Uithof. Ik had mij in het hoofd gezet in die zomermaanden een kandidaatsscriptie te schrijven, maar alle benodigde boeken en tijdschriften bevonden zich in dozen en kisten. "Ach", zei de bibliothecaris, "bekijk het eens van de zonnige kant. Nu hebt U tijd genoeg om eens iets leuks te doen." Ik legde deze welgemeende raad echter – achteraf gezien natuurlijk ten onrechte – naast me neer en besloot van de nood een deugd te maken. Mijn ouders waren ogenschijnlijk blij verrast dat ik de zomer thuis in Ede studerend zou doorbrengen. Daardoor kwam ik in de buurt van een sociologische bibliotheek te verkeren die wel toegankelijk was. Zo kwam het dat ik in die zomer enige malen per week heen en weer fietste tussen mijn ouderlijk huis en de Universiteitsbibliotheek in Wageningen. Meestal deed ik dat diep gebogen over het stuur van mijn sportfiets. Dokkerend over de kasseistroken waande ik me Jan Janssen op weg naar een glorieuze zege in de wielerklassieker Parijs-Roubaix. Halverwege, in Bennekom, kon ik het echter niet laten me even op te richten – terug in de werkelijkheid – en spiedde dan gretig om mij heen in de hoop een glimp op te vangen van het aldaar woonachtige kamerlid Koekoek. Deze leider van de Boerenpartij had namelijk bij sommige Utrechtse sociologiestudenten een heldenstatus verworven vanwege zijn tijdens een kamerdebat uitgesproken gevleugelde woorden: "Statistieken, statistieken ... Cijfers moeten we hebben!"

Hoewel het spieden naar Boer Koekoek vergeefs bleek en mijn wielercarrière – door een gebrek aan talent – in de knop werd gebroken, is die scriptie er wel gekomen. Echter zonder cijfers en statistieken. Het enige wat ik me levendig van de inhoud herinner, is een hartstochtelijke verdediging van de literaire verbeelding als bron van sociologisch inzicht. Voor kennis van de negentiende-eeuwse Franse samenleving zou men – zo beweerde ik met grote stelligheid – beter te rade kunnen gaan bij Balzacs realistische romancyclus *La Comédie Humaine* of Zola's reeks naturalistische romans *Les Rougon-Macquart*, dan bij de toenmalige Franse sociologie. Waar ik die wijsheid vandaan haalde, is me niet geheel duidelijk. Als ik mijn boekenbezit mag geloven, had ik toen van beide auteurs namelijk niet veel meer gelezen dan Balzacs *Le Père Goriot* en *Eugénie Grandet* en van Zola *Nana* en *Au Bonheurs des Dames*. Het onrecht dat ik met die bewering de grote Franse sociologen Alexis de Tocqueville en Émile Durkheim deed, besefte ik toen nog niet. Ook hun werk had ik immers indertijd nog niet uit de eerste hand tot me genomen. Hoewel mijn opvatting dus vermoedelijk tweedehands was, was deze wel oprecht gemeend. Ze was namelijk het product van een romantisch levensgevoel, waaraan ik toentertijd hevig leed.

Twee jaar later schreef ik een doctoraalscriptie, waarin ik al even hartstochtelijk betoogde – me beroepend op heel veel, nu wel gelezen, wetenschapsfilosofie – dat de sociologie wetenschappelijk zou dienen te zijn, of niet zou zijn. Het kan kennelijk verkeren. Aan die laatste stellingname heb ik tot nu toe – niet geheel ten onrechte, zo zal ik hierna betogen – vastgehouden. Toch is de liefde voor de schone letteren blijven knagen. Is uit romans, toneel en poëzie niet dieper inzicht te putten over mens en maatschappij, dan uit boer Koekoeks vermaledijde statistieken en de door hem gretig tegemoet geziene cijfers?

Dat de liefde voor de bellettrie niet alleen bij mij knaagt, maar bij meer Nederlandse sociologen, bleek een paar jaar geleden uit het sociaal-wetenschappelijke magazine *Facta*. In de jaren 1996-1998 bevatte dit maandblad namelijk een rubriek 'De Bron' waarin aan de *fine fleur* van de Nederlandse sociaal-culturele wetenschappen de vraag werd voorgelegd welk literair werk tot bron van inspiratie had gediend bij de sociaal-wetenschappelijke beroepsuitoefening. Die vraag verleidde veel auteurs tot meer gepassioneerde uitspraken dan de lezer van hen gewend was. Sommigen hadden naar eigen zeggen hun latere sociologische vraagstellingen aan het lezen van bellettrie ontleend, anderen hadden er een treffende illustratie van de werking van allerlei sociale mechanismen in aangetroffen, weer anderen hadden er een legitimatie aan ontleend voor een narratieve stijl van wetenschapsbeoefening. Wat ze haast allemaal gemeen hadden, maar wat slechts een enkeling kennelijk zelf besefte, was dat ze romantische lezers waren, dat het hen op de eerste plaats ging om de wereld *in* het boek.

Sociologie en romantiek
Een romantisch verlangen naar het vergaren van diepere kennis dan wetenschappelijke methoden vermogen op te leveren, is niet iets van hier en nu, maar is steeds als een onderstroom in de geschiedenis van de sociologie aanwezig geweest. Vreemd genoeg was dat zelfs het geval bij die grondleggers van het vak die, door sterk de nadruk te leggen op het belang van de wetenschappelijke methode, poogden een hecht wetenschappelijk fundament te leggen voor de sociologie.

Als ergens statistieken en cijfers de overhand op de literaire verbeelding hebben gekregen, is het wel in het positivisme en empirisme geweest. Auguste Comte (1798-1857) – de bedenker van de naam sociologie – heeft de grondvesten van het sociologische positivisme gelegd met zijn zesdelige *Cours de philosophie positive* (1830-1842). Wetenschapsbeoefenaars zouden - op zoek naar natuurwetten – zijns inziens slechts waarde moeten hechten aan 'positieve' feiten. Ze zouden hun theorieën op zintuiglijke, proefondervindelijke ervaringen moeten baseren en deze op geen enkele wijze door privé-meningen, publieke opinie of metafysische en theologische ideeën moeten laten kleuren. Zo zou ook de nieuwe 'natuur'-wetenschap van de maatschappij, de 'sociologie', het best tot ontplooiing kunnen komen.

Hoewel Comte in zijn schaarse vrije tijd poëzie las en met een zekere regelmaat de opera bezocht, had hij een hekel aan zogenaamde *littérateurs*, wetenschapsbeoefenaars die zich van retorische hulpmiddelen bedienden. In 1845 veranderden zijn opvattingen echter even plotseling als fundamenteel van aard.[1] Het begon met het uit-

---

1   Over deze gedaantewisseling: Wolf Lepenies 'Auguste Comtes Wandlungen. Wissenschaft und Literatur im frühen Positivismus' in diens *Die Drei Kulturen. Soziologie zwischen Literatur und Wissenschaft*, Hanser, München, 1985, blz. 15-48.

lenen van een roman, Henry Fieldings *Tom Jones* aan Clothilde de Vaux. Een ontluikende liefde voor haar, die echter platonisch zou blijven en na haar dood in heiligenverering omsloeg, bracht hem ertoe gevoel en literatuur te gaan idealiseren. Hij trachtte van toen af aan esthetiek (gevoel), proefondervindelijke ervaring (gedachte) en politiek (daad) met elkaar te verbinden in een systematisch geheel. Het uiteindelijke resultaat was het vierdelige *Système de politique positive, ou Traité de sociologie instituant la religion de l'humanité* (1851-1854). In dit boekwerk verweet hij wetenschapsbeoefenaars, en hij sloot zichzelf daarvan niet uit, tot dan toe veel te veel voor specialisten en daardoor veel te droog te hebben geschreven. Juist de literatuur zou ongekende mogelijkheden bezitten om een synthese te bewerkstelligen en filosofie en politiek op elkaar af te stemmen. Het zou niet zozeer de taak van de literator zijn de mensheid te leiden of te doorgronden, maar deze te betoveren en te verbeteren. Die rol nam hij met graagte op zich.

In die laatste jaren vergat hij kennelijk zijn eigen methodische uitgangspunten en gaf zich over aan bespiegelingen die het tegendeel van positieve kennis opleverden. Hoewel hij toch al nimmer aan zelfonderschatting had geleden, vertoonde Comte gedurende zijn laatste jaren in toenemende mate tekenen van grootheidswaan. Om zich van zijn vroegere, te eenzijdige, te zeer op de proefondervindelijke ervaring gebaseerde werk te distantiëren, ondertekende hij in het vervolg met 'Le Fondateur de la Religion Universelle, Grand Prêtre de L'Humanité'.

Terecht is er op gewezen dat Comte een kind van zijn tijd was.[2] Alleen in de Romantiek kon de grootse gedachte opkomen om het gehele sociale leven op positivistische grondslag te reorganiseren en de richtinggevende gedachten erachter in de vorm van een mensheidsreligie te gieten. Ook het persoonlijke leven van Comte was – met al zijn tragiek van financiële moeilijkheden, geestelijke crises en ongelukkige liefdes – dat van een echte romantische intellectueel. Een teruggetrokken levend leidend, voortgestuwd door een geniale, maar ook getormenteerde geest, heeft hij zich ten slotte dood gewerkt.

2   J.M.M. de Valk, 'Inleiding' bij Auguste Comte, *Het Positieve Denken*, Boom, Meppel, blz. 27-28.

In Engeland was John Stuart Mill (1806-1873) al vroeg onder de indruk geraakt van Comtes positivisme. Wat hij miste was echter een logische onderbouwing ervan, die hij daarom zelf maar verschafte in zijn *A System of Logic* (1843). Dit boek vormt de *locus classicus* van wat later in de sociale wetenschappen 'empirisme' is gaan heten. Mill betoogde erin dat onze hypothesen over de wereld – hoezeer ze ook op gissingen lijken te berusten – altijd wel op de een of andere manier het product van de ervaring zijn. Als alle menselijke kennis op ervaring berust, dan was het zijns inziens de moeite waard te onderzoeken welke procedures en gevolgtrekkingen tot geldige kennis leiden en welke niet. In de eerste vijf boeken van zijn *System* onderzocht Mill nauwgezet allerlei experimentele, inferentiële en vergelijkende procedures waarmee wetenschapsbeoefenaars hun onderzoeksresultaten behalen en beoordelen. In het zesde en laatste boek onderzocht hij vervolgens of deze procedures vruchtbaar konden worden toegepast op de studie van mens en maatschappij. Het antwoord luidde – hoewel geclausuleerd – bevestigend. Met Comte was hij van mening dat een op 'natuurwetenschappelijke' wijze bedreven sociologie niet alleen mogelijk, maar ook noodzakelijk was om inzicht te verwerven in en vorm te kunnen geven aan het maatschappelijke leven.

Hoewel John Stuart Mill – ondanks een gevoelloze en uiterst gedisciplineerde utilitaristische opvoeding – een veel evenwichtiger persoonlijkheid was dan Comte, kon ook hij niet geheel ontkomen aan de romantische verleiding.[3] Ook bij hem speelde de ontmoeting met en liefde voor een vrouw een rol, in dit geval Harriet Taylor. Zij was, zo beschrijft Mill in zijn *Autobiography* (1873), een vrouw van diepe en sterke gevoelens, van een diep doordringende en intuïtieve intelligentie, van een sterk meditatieve en poëtische aard. Ze verenigde als het ware de kenmerken van een Bentham en Coleridge in zich. Deze Engelse schrijvers, heel verschillend van temperament, belichaamden voor Mill de twee maatschappijbeschouwingen die elkaar in de negentiende eeuw bestreden (1840)[4]. Benthams kracht lag in het ontwikkelen en toepassen van de kritische, experimente-

---

3   Zie hiervoor het hoofdstuk 'Fakten und Gefühskultur: John Stuart Mill' in Lepenies, o.c., blz. 105-128.
4   John Stuart Mill, *On Bentham and Coleridge*, Chatus & Windus, London, 1950.

le methode op praktische maatschappelijke problemen en het suggereren van al even praktische 'progressieve' oplossingen. Het ontbrak hem echter aan een rijke verbeeldingskracht en gevoel voor poëzie. Door te abstraheren van concrete mensen van vlees en bloed en het onvermogen zich in hen in te leven, bleef zijn kennis van de mens aan de oppervlakte en belichaamde hij het empirisme van degenen die diep doorleefde ervaringen ontberen. Coleridge, daarentegen, was conservatief, diep religieus en poëtisch van aard. Hij bezat een groot historisch besef, een diep gevoel voor de spirituele en morele aspecten van het samenleven en oprechte belangstelling voor individuele mensen. Hij deed een beroep op de 'loving or feeling intellect' en verzette zich tegen de mechanisering van het wereldbeeld die zich onder inspiratie van Newtons werk steeds sterker had doorgezet.

Door de invloed van Bentham, zegt Mill, zijn mensen zich bij allerlei beweringen en opvattingen gaan afvragen: 'Is het wel waar?' Door Coleridge zijn zij de vraag gaan stellen: 'Wat is de betekenis ervan?' Mill poneerde dat de volgers van Bentham en Coleridge vijanden lijken en zich dat ook wanen, maar eigenlijk bondgenoten zijn. De krachten die ze genereren zijn zijns inziens namelijk de twee tegengestelde polen van één kracht: de maatschappelijke vooruitgang. Het is zijns inziens zaak het beste van beide maatschappijbeschouwingen te bewaren: zowel de aandacht voor het detail als de blik op het geheel, zowel de methodische scherpte als de gevoelscultuur, zowel feitenkennis als poëzie. In de *System of Logic* zijn nog sporen van dit verlangen zichtbaar. In zijn autobiografie betreurt Mill echter dat hij indertijd Bentham te scherp en Coleridge te welwillend had behandeld. Voor hem bood Auguste Comte het afschrikwekkende voorbeeld van een geleerde die hoe meer hij zijn gevoel ontdekte, des te minder nog in staat was systematisch en proefondervindelijk te denken.

Duitse Romantiek

Waar Comte in Frankrijk en Mill in Engeland een methodisch, quasi-experimenteel fundament legden voor een wetenschap van het samenleven, daar vroeg men zich in Duitsland af of de gangbare wetenschappelijke methoden wel geschikt waren om maatschappelijke verschijnselen te begrijpen. Het Duitse sociale denken van de

Romantiek ging dan ook op zoek naar een nieuwe grondslag voor kennisverwerking die anders was dan de sinds Bacon en Galileï oppermachtige methode van de natuurwetenschappen. Die zoektocht werd door niet alleen door filosofen als Hamann, Herder en Fichte ondernomen, maar meer nog was deze een zaak van dichters, kunstenaars en geniale alleskunners als Goethe en Schiller. In plaats van op zoek te gaan naar wetmatigheden in samenlevingen via empirische analyse en theoretische isolering en abstrahering, probeerden zij concrete handelingspatronen en voor bepaalde volkeren specifieke instituties aanvoelend, intuïtief te verstaan. Daartoe deden zij een beroep op irrationele gevoelens en poëtische verbeeldingskracht als bron van kennis. Poëtisch wordt dit romantische verlangen naar een alternatieve wijze van kennisvergaring misschien wel het mooist door Novalis (1972-1801) – overigens van opleiding en beroep mijnbouwingenieur – uitgedrukt in een gedicht dat een plaats had moeten krijgen in het onvoltooide romanwerk *Heinrich von Offerdingen*:[5]

"Wenn nicht mehr Zahlen und Figuren
Sind Schlüssel aller Kreaturen,
Wenn die, so singen oder küssen,
Mehr als die Tiefgelehrten wissen,
Wenn sich die Welt in freie leben,
Und in die Welt wird zurück begeben,
Wenn dann sich wieder Licht und Schatten
Zu echter Klarheit werden gatten,
Und man in Märchen und Gedichten
Erkannt die ewgen Weltgeschichten,
Dann fliegt vor einem geheimen Wort
Das ganze verkehrte Wesen fort."

Deze gedachte is in de negentiende eeuw in Duitsland uitgewerkt tot wat sociologen vandaag de dag als de 'verstehende' methode plegen aan te duiden. Ook de grootmeester der Duitse sociologie, de weinig dichterlijke Max Weber (1854-1920), put nog uit deze bron-

---

5 Novalis, *Werke und Briefe*, herausgegeben von Alfred Kelletat, Winkler, München, 1968 [1962], blz. 295.

nen.[6] Hij stelde onomwonden dat het sociale leven met behulp van de natuurwetenschappelijke methode niet toereikend kan worden verklaard. Causale verklaringen van sociale verschijnselen – die blijven het uiteindelijke doel – moeten worden voorafgegaan door een inlevend verstaan – 'verstehen' – van de subjectief bedoelde zin van sociale handelingen en hun gevolgen. Maar de literatuur heeft daarin geen rol te spelen. Net als Comte hield Weber niet van *littérateurs*. Kriegel reageerde hij dan ook in zijn *Vorbemerkung zur Religionssoziologie* (1920) op critici die hem verweten geen schitterende beeldspraken en weidse vergelijkingen te hanteren met de opmerking: 'Wie mooie beelden wil, moet maar naar de bioscoop gaan'.

Wie naar de hoofdstroom van moderne en hedendaagse sociologie kijkt, moet wel concluderen dat het empirisch-nomothetische kennismodel van de positivisten en empiristen heeft getriomfeerd. De idee van een sociale wetenschap met een geheel ander kennismodel, zoals dat door de Duitse Romantiek werd gelanceerd, heeft zich niet kunnen doorzetten. Dat neemt niet weg dat er in zijstromen nogal eens gedachten opduiken die, vaak onbedacht en onbedoeld, verwantschap vertonen met onuitgewerkte ideeën uit dat altijd fragmentarisch en onuitgewerkt gebleven alternatieve kennismodel.[7] Het vergt weinig verbeeldingskracht om die gedachten toe te schrijven aan de romantische verleiding waaraan kennelijk zoveel sociologen blootstaan.

Literaire lessen

Valt er door sociologen dan niets zinnigs te leren van de bellettrie? Wel degelijk, namelijk hoe men dingen helder kan zeggen. Veel hedendaagse – vooral theoretische – sociologen hanteren in hun verhandelingen immers een hermetisch, vaak stuitend jargon. Het is bepaald geen esthetisch genoegen om het werk van Parsons, Luhmann, Habermas of Giddens te lezen. Zij begaan, in de woorden van Popper, een zonde tegen de Heilige Geest, want 'Wer's nicht

6 Uitgebreider: J.M.M. de Valk, 'Sociologie en Romantiek', in: W. Arts en J.K.M. Gevers (red.), *Rede, Sentiment en Ervaring. Sociale wetenschap in de achttiende eeuw*, Van Loghum Slaterus, Deventer, 1983, blz. 26-35.
7 Idem, blz. 35.

einfach und klar sagen kann, der soll schweigen und weiterarbeiten, bis er's klar sagen kann.'[8] Of, zoals Wittgenstein als eerder in zijn *Tractatus Logico-Philosophicus* (1921) poneerde: 'Alles was überhaupt gedacht werden kann, kann klar gedacht werden. Alles was sich aussprechen läßt, läßt sich klar ausprechen.'[9]

Maar, helaas voor de romanticus, zit er hier een addertje onder het gras. Het gegeven dat veel sociologische theorieën vandaag de dag nog in natuurlijke talen als het Engels of Duits worden uitgedrukt, heeft er onder meer mee te maken dat de voor elementaire theorieën benodigde hoeveelheid wiskunde of formele logica zo gering is, dat de socioloog zijn werk kan doen met behulp van de logische intuïtie. Het heeft echter ook te maken met het gegeven dat er onder sociologen sprake is van een wijd verbreid mathematisch analfabetisme. Daardoor wordt er in theoretische verhandelingen vaak wel heel makkelijk geredeneerd. Iedere uitgesproken of uitgeschreven sociologische theorie wordt, als deze op zijn volle consequenties wordt onderzocht, eigenlijk automatisch een tak van de toegepaste wiskunde. Door verklaringen te formaliseren ontdekt men al snel allerlei kronkels en sprongen in gedachtegangen. Dergelijke dwaalwegen en leemtes worden verhuld door het gebruik van literaire middelen als mooie metaforen, prachtige woorden en fraaie volzinnen. In de theoretische sociologie worden dergelijke kunstgrepen – helaas – maar al te vaak toegepast. Naarmate de sociologie zich ontwikkelt, zal zij daarom gedwongen worden haar afhankelijkheid van de wiskunde meer en meer te erkennen en weerstand moeten bieden aan de romantische verleiding.

Maar blijft er dan op termijn helemaal geen rol meer over voor de literaire verbeelding? Volgens sommigen wel. Zo heeft de Amsterdamse stadssocioloog Lodewijk Brunt enige jaren geleden een pleidooi gehouden voor wat hij de 'zachte', literaire benadering noemt.[10] Romanschrijvers en dichters vragen zijns inziens aandacht voor menselijke emoties, ambities en dromen waar we in de 'harde' weten-

---

8 Karl R. Popper, 'Gegen die grossen Worte' in: *Auf der Suche nach einer besseren Welt*, Piper, München, 1984, blz. 100.

9 Uitspraak 4.166.

10 Lodewijk Brunt, 'De zachtheid van steden. Academisch stadsonderzoek en de schone letteren', *Sociologische Gids*, 49, 2002, blz. 182-201.

schap, die telt en meet, geen geschikte begrippen voor hebben. Romans en gedichten zouden in tal van opzichten een 'attenderende' functie vervullen, omdat ze de sociologische onderzoekers en theoretici attent maken op condities en processen die zij anders nauwelijks of helemaal niet zouden opmerken. Daarnaast poneert hij, in navolging van Raban in diens *Soft City* (1975), dat de in romans en gedichten verwoorde illusies, mythes, ambities en nachtmerries vaak net zo werkelijk zijn als, of misschien zelfs nog werkelijker zijn dan het beeld dat opduikt uit cijfers en statistieken. Ze bieden een levensechtheid die Brunt vaak zo node mist in de hedendaagse sociologie.

Anderen stellen zich in dezen echter – terecht – veel sceptischer op. Zo heeft de methodoloog Jacques Hagenaars in een Tilburgse Diesrede de vloer aangeveegd met het idee dat er grote tegenstellingen bestaan tussen geletterden en gecijferden.[11] Of men dat nu leuk vindt of niet, zegt hij, de werkelijkheid in haar volheid kan nu eenmaal principieel nooit worden gekend. Onze kennis over die volle werkelijkheid zal altijd kennis zijn over een aspect en ons spreken erover stamelen, of dat nu in woorden of in cijfers is. Het feit dat hij zijn betoog lardeert met literaire citaten, doet in ieder geval bij mij het vermoeden rijzen dat de ware romantici misschien wel achter de computers zitten.

Slot
Toen ik in mijn doctoraalopleiding sociologie voor de keuze stond om een specialisatie te kiezen, heb ik nog even serieus overwogen literatuursociologie als afstudeerrichting te nemen. Maar bij lezing vond ik Adorno, Benjamin, Goldman en Lukács te ideologisch bevlogen en Escarpit een te simpele cijferaar. Daarna heb ik nooit meer met *expliciet* wetenschappelijke ogen bellettrie gelezen. Maar een gulzige lezer ervan ben ik altijd gebleven. Als ik tijdens al dat lezen toch nog sociaal-wetenschappelijke kennis heb opgedaan, dan was dat te danken aan een 'serendipity'-effect, aan de gave als het ware bij toeval waardevolle dingen te ontdekken terwijl men naar andere dingen op zoek is. Zoals in Dickens' *Hard Times* over wat het uti-

11 Jacques A. Hagenaars, *De weggecijferde mens?* Dutch University Press, Amsterdam, 2003, blz. 20.

litarisme van Bentham in de praktijk betekent of in diens *Bleak House* over wat voor een ellende al maar voortslepende civiele procedures kunnen veroorzaken. Over het maatschappelijk leven in multinationale samenlevingen heb ik veel opgestoken van Joseph Roths romans, waarin hij de Habsburgse dubbelmonarchie beschrijft als een groot huis met vele deuren en kamers, voor verschillende soorten mensen. Ook heb ik veel bijgeleerd door ieder jaar weer een deeltje uit Zola's *les Rougon-Maquart* te lezen. Is er een aangrijpender beschrijving te vinden van de armzalige leef- en werkomstandigheden die gepaard gingen met de negentiende-eeuwse intensieve mijnbouw dan diens *Germinal?* Zo kan ik nog lang doorgaan, maar die opsomming dreigt dan wel te ontaarden in een *épater le bourgeois* en daar zit niemand op te wachten.

Eén ding moet me echter nog van het hart. 's Zomers fiets ik wel eens in de polders en rond de plassen van Hollands Groene Hart. Nooit, maar dan ook nooit komt dan de gedachte bij me op dat ik de etappe Amsterdam-Schoonhoven in de Ronde van Nederland aan het winnen ben. Dat zal wel met mijn gezapige tempo te maken hebben. 's Winters word ik – om mijn stramme knieën soepel te houden – met een zekere regelmaat door mijn vrouw naar zolder gejaagd om op de hometrainer de benodigde kilometers af te leggen. Dan verbeeld ik me wel eens dat ik mijn eentje de Tourmalet beklim. Niet op kop, maar zuchtend en steunend ver achter het peloton vlak voor de bezemwagen uit. Met sociologische verbeeldingskracht heeft dat niets te maken, maar het romantische levensgevoel is kennelijk nog steeds aanwezig. Wel ben ik, door schade en schande wijs geworden, gaan beseffen dat de romantische held niet glorieert, maar lijdt en sneeft.

Waarin een toevallige ontmoeting gearrangeerd wordt tussen Wislawa Szymborska en John Rawls, achter de sluier van onwetendheid

Willem Witteveen

1

Dit verhaal over literatuur en wetenschap is nog in nevelen gehuld. De hoofdpersonen weten niet dat zij elkaar zullen ontmoeten. De verteller twijfelt hoever hij zal gaan om zich bekend te maken. Maar deze toestand van onzekerheid kan niet lang duren. Het verhaal is in feite al begonnen, nu we weten dat er hoofdpersonen zijn. Dat zij voor elkaar onbekend zijn. Dat er een verteller is die desalniettemin iets over die hoofdpersonen kwijt wil.

Er is ook al een lezer van het verhaal. Een lezer die nota bene al zover in de loop van de gebeurtenissen is meegetrokken dat hij zich in tweeën gesplitst heeft, in een ik en een wij, en er niet voor terugdeinst zichzelf in de wij-vorm toe te spreken. Een lezer die zelf dus ook een soort verteller is geworden.

En dat terwijl er nog helemaal niets gebeurd is! Literatuur en wetenschap zijn nog volstrekt gescheiden domeinen, al is het in deze duisternis niet duidelijk waar de grens loopt. En in die domeinen moeten de hoofdpersonen, zich niet eens van elkaars bestaan bewust, al rondwaren.

Een wetenschappelijke houding betekent hier een pleidooi voor opheldering, voor precisie en plaatsbepaling, voor meetbare kennis en falsificeerbare stellingen, kortom: voor Verlichting. Maar de in zichzelf verdubbelde lezer en de plotseling nogal zwijgzame verteller die maar niet verder gaat met het verhaal, zien in deze wetenschappelijke *Sturm und Drang* een uiterst romantisch verschijnsel, een handeling van zelfbepaling, bijna een gedicht.

Stop! Dit kan zo niet verder gaan. Deze sluier van onwetendheid is ondraaglijk, hoezeer ook uit lichte stof geweven.

Er is hier geen lucht, geen uitzicht, geen inzicht. In een gedachte-experiment kunnen wij niet leven.

2

Het verhaal begint anders, op een moment dat niemand merkt dat het begonnen is. Het is het jaar 1972. De verteller voert een zekere Dennis Meadows ten tonele, onderzoeker verbonden aan het Massachusetts Institute of Technology. Voor een internationaal gezelschap van bezorgde wetenschappers, de Club van Rome, brengt Meadows een rapport uit over *De grenzen aan de groei*. Door dit rapport wordt de milieuproblematiek in een klap onder de aandacht gebracht van het grote publiek.

Voor de verteller is deze Meadows maar een bijfiguur, een boodschapper die van links naar rechts over het wereldtoneel rent. Hij neemt de lezer nu mee naar een filosofisch instituut, eveneens in Boston, waar een zekere John Rawls in volstrekte afzondering de laatste hand legt aan zijn alomvattende neo-kantiaanse theorie over sociale rechtvaardigheid: *A Theory of Justice*. Dit boek zal later beschouwd worden als het belangrijkste politiek-filosofische werk van de 20ste eeuw.

De camera zwaait over de oceaan naar de andere hoofdpersoon die in haar huiskamer in Warschau zit te schrijven. In volslagen anonimiteit werkt Wislawa Szymborska aan het gedicht *Stemmen*, waarin denkbeeldige Romeinse senatoren discussiëren over het elimineren van al die kleine volkeren die de zegetocht van de *res publica* belemmeren.

"Betreurenswaardig zijn die kleine volkeren.
Hun lichtzinnigheid vraagt om bewaking
bij elke volgende rivier, Aulus Junius.

Ik voel me door elke horizon bedreigd.
Zo zou ik het willen stellen, Hostius Melius.

Ik, Hostius Melius, antwoord u, Appius Papius hierop:
Voorwaarts. De wereld moet toch ergens eindigen."

Dat de wereld wel eens zou kunnen eindigen in een apocalyps door
de exponentiële groei van een vijftal elementen (bevolking, voed-
selproductie, industrialisatie, vervuiling en het gebruik van niet-ver-
vangbare natuurlijke hulpbronnen) is nu juist de centrale boodschap
van het rapport van de Club van Rome.

Rawls bepleit een nieuw sociaal contract waarbij burgers van liberale democratische staten een aantal beginselen van rechtvaardigheid aanvaarden als rationele grondslag voor de inrichting van de
samenleving. Het is nodig de bestaande staatsinstellingen en de gangbare economische systemen weg te denken. Vanuit een 'original position' waarin de mens volstrekt niet weet hoe zijn eigen bestaan eruit
zal kunnen zien moet hij met anderen in denkbeeldig overleg treden over een voor iedereen rechtvaardige sociale orde.

Rawls staat bekend als de meest wetenschappelijke onder de politieke denkers.

In haar gedicht *De ontdekking* schrijft Szymborska:

"Ik geloof in de grote ontdekking.
Ik geloof in de man die de ontdekking doet.
Ik geloof in de angst van de man die de ontdekking doet."

Op dit punt gekomen, stokt de stem van de verteller. De angst van
de man die de ontdekking doet is hem op de keel geslagen. Wat is
die angst? Is het angst voor de ontdekking zelf of angst voor het uitblijven van begrip bij het publiek dat de ontdekker in gedachten
heeft? Is het de vrees niet begrepen te worden? De boodschap niet
over te kunnen brengen?

3

Wat is de grote ontdekking van Dennis Meadows? Dit: de wiskunde van de exponentiële groei, gevat in het wereldmodel-2 dat de ver-

banden en terugkoppelingen beschrijft tussen elementen die in inter-
relatie het voortbestaan van de mens bedreigen. De meeste mensen
denken over groei als een lineair, rechtlijnig proces: toename met
een constante grootheid per tijdseenheid (een vrek die elk jaar 10
gulden opzij legt, ziet zo zijn bezit lineair toenemen). Bij de elementen
uit het wereldmodel-2 is echter sprake van exponentiële groei: toename met een constant percentage per tijdseenheid (als de vrek zijn
geld op de bank zet en elk jaar een vast rentepercentage krijgt, zal
zijn bezit exponentieel toenemen in plaats van lineair). Zo zouden
dus ook volgens het wereldmodel-2 de bevolkingsgroei, de uitput-
ting van hulpbronnen en de vervuiling exponentieel toenemen; het
model laat vervolgens zien dat deze elementen via positieve en negatieve terugkoppeling op elkaar inwerken tot de catastrofe, de grenzen aan de groei, is bereikt.

Meadows moet zich zorgen hebben gemaakt dat zulke abstracte
informatie omtrent exponentiële groei voor veel mensen niet bevat-
telijk zou zijn. Hij grijpt daarom naar literaire middelen, zoals verhalen en metaforen, om het idee te verduidelijken. Een belangrijke
eigenschap van exponentiële groei is het onverwachte moment waarop de bovengrens wordt bereikt.

"Stel je een vijver voor waarin een waterlelie groeit. De lelie ver-
dubbelt elke dag haar grootte. Als de lelie ongestoord kan groeien,
bedekt zij in dertig dagen de gehele vijver, daarbij alle andere vormen van leven in de vijver verstikkend. Geruime tijd lijkt de lelie
klein, en daarom maak je je nog geen zorgen over het wegsnijden,
tot het moment waarop de helft van de vijver is bedekt. Op welke
dag zal dat zijn? Op de 29ᵉ dag natuurlijk. Je hebt dan nog één dag
om je vijver te redden!"

Lezers aan wie de logica van de exponentiële groei niet besteed is,
begrijpen direct wat de metafoor van de vijver wil zeggen: namelijk
dat alle aantastingen van de natuur er uitzien als kleine, geleidelij-
ke ingrepen die elk op zich verwaarloosbaar klein zijn maar dat ze
bij elkaar en op de lange termijn een verwoestend effect hebben.

Alleen een aansprekend beeld kon de abstracte boodschap over-dragen. De wetenschapper had de literatuur nodig om zijn publiek te bereiken.

4

Meadows is gepasseerd, het toneel is weer leeg. Nu kan een vraag opkomen. De verteller stelt die vraag met zoveel woorden: als literaire middelen nodig kunnen zijn om de boodschap van de wetenschap over te dragen, te verduidelijken, te ondersteunen, dan geeft dat de literatuur in het domein van de wetenschap toch slechts een ondergeschikte, een dienende functie? Kan literatuur ook op eigen kracht, vanuit haar eigen domein, iets bijdragen aan de groei van de kennis?

Toegegeven, denkt de lezer, de vijverbeeldspraak is een ornamentele metafoor, een beeld dat niet iets wezenlijks toevoegt aan het achterliggende model maar daarvan een aanscherping is, gericht op het overtuigen van het publiek, selectief, motiverend, didactisch. En de pointe daarvan zie ik ook: het was een oproep tot mentaliteits-verandering en voor mentaliteitsverandering is het niet genoeg de wetenschappers te overtuigen, dan moet juist het grote publiek bereikt worden, opdat van daaruit weer invloed wordt uitgeoefend op politici, bestuurders en managers. De vijverbeeldspraak had een politieke betekenis, niet een wetenschappelijke.

De lezer herinnert zich intussen dat er ook nog een ander type metafoor bestaat: de ordenende metafoor. Daarbij gaat het om een beeld dat een nieuwe conceptuele ordening voortbrengt en daarbij zowel de waarneming als de waardering van de geordende verschijnselen beïnvloedt. Het milieudebat dat volgde op *De grenzen aan de groei* maakte gebruik van ordenende metaforen, zoals RUIMTESCHIP AARDE, een beeld dat bij uitstek geschikt is om de onderlinge afhankelijkheid van ecosystemen te bevestigen en de kwetsbaarheid van de door mensen gemaakte leefwereld te benadrukken. De ordenende metafoor is selectief, nooit zomaar een neutrale waarneming. Het gaat om een gekleurde interpretatie van een veel rijkere, in zijn totaliteit onvatbare werkelijkheid. Dit type metafoor is goed te vergelijken met het wetenschappelijke model. Als ordenende metaforen bewust geconstrueerd worden en ter discussie gesteld, dan dringt een van oorsprong literaire techniek het wetenschappelijke discours binnen.

De lezer kan reflecteren, zich iets herinneren, maar niet spreken. Alleen de verteller is aan het woord. In afwachting van de hoofdpersonen, van John Rawls en Wislawa Szymborska, die al klaar staan in de coulissen.

Zo voeren wij een gedachte-experiment uit waarvan wij de spelregels slechts gaandeweg formuleren.

5

Het is misschien goed om ze daar eerst te zien staan, nog onbekend met elkaar, verborgen onder een sluier van onwetendheid. Ze leven, letterlijk, in andere werelden. Ze spreken en denken in een andere taal. De politieke systemen die hen bezighouden zijn ideologisch tegengesteld. Twee denkers, twee schrijvers, maar ze houden zich op in andere kennisdomeinen.

Rawls werkt aan een wetenschappelijk gefundeerde politieke theorie voor de liberale samenleving, Szymborska's gedichten hebben geen wetenschappelijke status of theoretische pretenties.

Een democratische staatsordening moet berusten op een sociaal contract, het moet een orde zijn waar mensen mee kunnen instemmen. Dat is het uitgangspunt van Rawls en het is een liberaal uitgangspunt dat de menselijke vrijheid en gelijkwaardigheid tot uitdrukking brengt. Maar hoe moet dat sociale contract eruit zien? Kan er een afspraak zijn over de juiste inrichting van de politieke gemeenschap die zo is opgezet dat alle leden van de gemeenschap dit als een rechtvaardige afspraak kunnen accepteren. Een rechtvaardige politieke orde zonder permanente verliezers? Het lijkt onvoorstelbaar en het is Rawls erom te doen dit onvoorstelbare toch voorstelbaar te maken. Daarom voert hij in zijn boek een gedachte-experiment uit. Rawls wil de lezer, elke lezer, ertoe brengen zich te verplaatsen in de positie van alle andere lezers aan de vooravond van de inrichting van de goed geordende samenleving. Dat noemt hij dan 'the original position'.

Zo'n 'original position' bestaat niet, heeft nooit bestaan en kan nooit bestaan, beseft Rawls terdege. Het gaat uitdrukkelijk om een hypothetische constructie, om een denkbeeldige toestand die de lezer zich toch voor ogen moet willen stellen. Daar is een bepaald soort fantasie voor nodig, inlevingsvermogen. Ook onderwerpt de lezer zich aan een soort Kantiaanse cognitieve categorische imperatief: het ideaal van de morele gelijkwaardigheid van mensen, het idee van het recht van ieder mens op gelijke aandacht en respect, brengt met zich mee dat iemand bereid moet zijn een kwestie vanuit elk denkbaar gezichtspunt te bekijken.

Alsof iemand het verhaal wil horen van elke speler die mogelijk het toneel des levens oploopt nog voor het toneelstuk geschreven is.

Dat is natuurlijk een wel erg omvattende en onmogelijke opdracht. De cognitieve categorische imperatief wordt een stuk hanteerbaarder door de zaak van de andere kant te benaderen: laat alle reëel bestaande gezichtspunten eens buiten beschouwing; neem plaats onder de sluier van onwetendheid. Rawls vraagt de lezer die deelneemt aan het gedachte-experiment niet om zich alle mogelijke menselijke levens voor te stellen; de hele variëteit aan persoonlijke identiteiten en sociale formaties en psychische gesteldheden en wat al niet. De deelnemer moet zich zijn leven voorstellen zoals hij of zij dat zou willen leven vanuit de oorspronkelijke positie waarin mensen niet kunnen weten hoe zij later in het leven geplaatst zullen zijn, dus zonder te weten of iemand gelovig is of atheïst, rijk of arm, gezond of ziek, zonder te weten wat iemands eigenschappen of talenten zijn. Er ligt zo een sluier van onwetendheid over het eigen leven in de geconstitueerde samenleving.

Dit zegt Rawls er zelf over:

"No one knows his place in society, his class position or social status; nor does he know his fortune in the distribution of natural assets and

abilities, his intelligence and strength, and the like. Nor, again, does
anyone know his conception of the good, the particulars of his ratio-
nal plan of life, or even the special features of his psychology such as
his aversion to risk or liability to optimism or pessimism. More than
this, I assume that the parties do not know the particular circumstances
of their own society. That is, they do not know its economic or political situation, or the level of civilization and culture it has been able to
achieve."

Over hun eigen levenslot en de stand van zaken in de samenleving
waarvan zij deel uitmaken, weten de deelnemers aan het Rawlsiaanse
gedachte-experiment dus niets, maar zij beschikken wel over algemene kennis over de wereld.

"They know the general facts about human society. They understand
political affairs and the principles of economic theory; they know the
basis of social organization and the laws of human psychology. Indeed,
the parties are presumed to know whatever general facts affect the
choice of the principles of justice."

Volgens deze spelregels moet iemand zich verbeelden iemand te zijn
die nog geen identiteit heeft maar toch autonoom is, iemand die zijn
eigen leven niet van binnenuit kan bekijken maar wel volledig geso-
cialiseerd is in een geordende samenleving.

Het is, wat je noemt, een veeleisend gedachte-experiment.

Het verrassende is vervolgens dat Rawls de uitkomst van dit vreemde en open gedachte-experiment kan voorspellen. Er zijn twee recht-
vaardigheidsprincipes die door rationele deelnemers gekozen zullen worden. Mensen zullen namelijk willen voorkomen dat ze in de
maatschappij heel slecht af zullen zijn en dus voor die principes kiezen waarmee ook de zwaksten in de samenleving nog relatief goed
af zijn (de maximin strategie). Rationele mensen zullen zoveel mogelijk hun eigen vrijheid willen waarborgen en een vergelijkbare vrijheid voor allen willen toestaan. Dat is een. En ze zullen verschillen
in de verdeling van levenskansen accepteren voor zover een onge-
lijke verdeling mede ten goede komt aan de minstbedeelden in de

samenleving; sociale ongelijkheid wordt dus alleen aanvaard als dit over het geheel genomen een verbetering oplevert van de positie van de minstbedeelden. Dat is twee.

In de spelregels van het gedachte-experiment zit al besloten tot welke uitkomst het moet leiden.

Dit is een democratie van het gezag.

6

Rawls heeft gesproken en neemt plaats in een fauteuil op het toneel. Nu komen de commentatoren aan het woord en de columnisten, de doordenkers en de epigonen. Al gauw klinken hun stemmen door en over elkaar heen, we noemen dit een rationele dialoog tussen vakgenoten.

Er zijn sprekers die andere voorstellen doen voor een rechtvaardige en democratische politieke orde. Er zijn sprekers die het idee van het hernieuwde sociaal contract afwijzen en zich liever committeren aan datgene wat de geschiedenis in uiteenlopende politieke systemen aan waardevols heeft opgeleverd. Er zijn sprekers die Rawls op een verkeerde weergave van Kant menen te betrappen, of die hem juist verwijten onvoldoende aandacht te hebben besteed aan Marx of Plato. Ook zijn er sprekers die Rawls samenvatten, annoteren en lichtelijk amenderen: dit zijn de bureaucraten van de wetenschap.

In het golvende geruis van stemmen is geen plaats voor poëzie.

De verteller kan deze sprekers niet overstemmen en houdt voorlopig maar even zijn mond.

Er ontstaat, denkt de lezer, een soort bolvormig voorwerp dat uit stemmen en conversaties bestaat en dat in de loop van de tijd een steeds grotere dichtheid bereikt. Als er niet zoveel losse eindjes waren zou je ook kunnen denken aan een taalweefsel, aan een tapijt van redeneringen, een discours.

En dan is er de rode draad van de kritiek op het gedachte-experiment met de 'original position' en de sluier van onwetendheid. Die kritiek luidt dat het gedachte-experiment van mensen het onmogelijke vraagt. Niemand kan afstand nemen van zijn eigen persoonlijkheid, geen mens kan de eigen identiteit en geschiedenis wegdenken. Niemand kan zich opstellen als burger van alle mogelijke werelden tegelijk, juist omdat iedereen al burger is in een bepaalde politieke gemeenschap. En met die onmogelijkheid van identificatie met de versluierde mens, vervalt ook de grondslag voor de beginselen van sociale rechtvaardigheid die in de 'original position' maatgevend heten te zijn.

'Er is hier geen lucht, geen uitzicht, geen inzicht. In een gedachte-experiment kunnen wij niet leven.'

7

Het verhaal moet opnieuw beginnen, alle sprekers worden van het toneel verwijderd door de ordedienst van het Theater van de Politiek. Alleen omdat de verteller zweeg, mag hij blijven.

Wislawa Szymborska weigert een pleidooi te houden. Zeker, de rechtvaardige politieke orde gaat haar ter harte. Zij heeft zelfs een mening. Maar de persoonlijke opvattingen van de dichter doen er niet toe. Het enige wat voor de dichter spreekt, is de tekst van het gedicht. Wil de verteller deze tekst maar langzaam en duidelijk voordragen. Wil de lezer zo goed zijn weer in zijn stoel plaats te nemen.

"EEN VERSIE VAN DE GEBEURTENISSEN

Als ons de keus was gelaten,
hadden we er vast lang over nagedacht.

De geboden lichamen zaten ongemakkelijk
en sleten lelijk.

De manieren van honger stillen
boezemden ons afkeer in,
het willekeurige erven van kenmerken

en de tirannie van de klieren
schrikten ons af.

De wereld die ons moest omringen
verkeerde in voortdurend verval.
De gevolgen van oorzaken woedden er vrijelijk."

De wereld was dus woest en ledig, denkt de lezer, razendsnel de
tekst van het gedicht interpreterend. De eerste mensen worden ver-
dreven uit een onbenoemd paradijs, hen is geen keus gelaten (maar
door wie is onduidelijk). Ze krijgen wel alvast te zien wat voor leven
hen zal wachten, de gelukzalige sluier van onwetendheid wordt voor
hun ogen weggetrokken. En wat deze eerste mensen zien, spreekt
hen in het geheel niet aan: een wereld waarin het verval voortdurend doorgaat, een wereld waarin ook de mensen onderworpen zullen zijn aan 'de gevolgen van oorzaken'.

"Van ter inzage overgelegde
individuele lotgevallen
verwierpen we het merendeel
met afgrijzen en verdriet.

Er rezen bijvoorbeeld kwesties als:
loont het om in weeën
een dood kind te baren
En waarom zou je zeeman zijn,
als je je bestemming niet bereikt.

We gingen akkoord met de dood,
maar niet in elke gedaante.
De liefde trok ons aan,
dat wel, maar dan een liefde
die haar beloftes houdt.

Zowel de wisselvalligheid van de oordelen
als de onbestendigheid van meesterwerken
weerhielden ons ervan
de kunst te dienen."

Wat zijn dit voor mensen, denkt de lezer, het zijn Rawlsianen die zich voorstellen dat hen een ander levenslot wacht dan het lot dat ze kennen. Ze voeren een machtsvrije conversatie over de politieke orde, ze zijn op weg naar een nieuw sociaal contract, naar 'een liefde die haar beloftes houdt'.

"Iedereen wilde een vaderland zonder buren
en zijn leven leven
tussen oorlogen in.

Niemand van ons wilde de macht hebben
of eraan onderworpen zijn,
niemand wilde het slachtoffer zijn
van eigen of andermans illusies,
er waren geen liefhebbers
voor menigten en manifestaties,
en al helemaal niet voor uitstervende stammen
- zonder welke de geschiedenis
echter op geen enkele manier zijn weg
door de te verwachten eeuwen zou kunnen vinden."

Nee, denkt de lezer, de mensen die tot deze inzichten komen, zijn toch geen Rawlsiaanse zoekers naar een voor iedereen rechtvaardige politieke gemeenschap. Ze zijn geen aanstaande staatsburgers; ze hebben ook de hele burgerschapsrol weggedacht uit de 'original position' (en zo afstand gedaan van precies het soort algemene en theoretische kennis over de samenleving die Rawls bleef veronderstellen). Door net wat radicaler te werk te gaan dan de regels van het gedachte-experiment stipuleren, maar zich tegelijkertijd de keuzesituatie realistischer voor ogen te stellen, zijn ze gestuit op dilemma's die een nieuw te vestigen rechtvaardige politieke orde onmogelijk maken. De eerste mensen willen in vrede leven, schone handen houden, de waarheid kennen, zich niet laten manipuleren door sofistische redenaars. Ze willen niet ondergaan in de massa, ze willen zichzelf blijven. Deze mensen willen niet afdalen in Plato's grot. En het opvallende is dat ze ondertussen wel het maximin principe van Rawls radicaliseren: ze verwerpen bepaalde rollen en posities die altijd schadelijk zullen zijn voor de zwaksten in de samenleving en houden er dus rekening mee dat zij zelf ook tot de zwaksten kunnen behoren.

"In de tussentijd waren er al
aardig wat ontstoken sterren
gedoofd en afgekoeld.
De hoogste tijd voor een besluit.

Met vele reserves
meldden zich ten slotte kandidaten
voor een aantal ontdekkers en genezers,
enige filosofen zonder bekendheid,
een paar naamloze tuinmannen,
ambachtslieden en muzikanten
- hoewel zelfs die levens
door het uitblijven van andere aanmeldingen
niet konden worden vervuld.

De hele zaak moest nogmaals
grondig worden overdacht."

Het dilemma van de 'original position' is dus onoplosbaar, denkt de lezer, als de sluier van onwetendheid ook maar een klein beetje wordt weggetrokken. Maar dat is, in de voorwaarden van het gedachte-experiment, een onvermijdelijke zaak omdat de deelnemers wel redeneringen moeten opzetten over de hypothetische orde waarin zij zullen leven en dat kan alleen maar als zij zich bepaalde levens kunnen voorstellen en als zij eenmaal een bepaald leven als aantrekkelijk gekozen hebben, betekent dit dat ook miljoenen andere, onaantrekkelijkere levens, vervuld moeten worden... Het is om duizelig van te worden.

"Ons werd toen
een reis aangeboden
vanwaar we immers
snel en zeker zouden terugkeren.

Een verblijf buiten de eeuwigheid -

die hoe dan ook eentonig is
en geen verloop kent -
zo'n kans kregen we misschien nooit meer.

We werden overvallen door twijfel
of we door alles bij voorbaat te weten
werkelijk alles wisten.

Was zo'n voortijdige keus
eigenlijk wel te kiezen
en zou het niet beter zijn
alles maar te vergeten
en als er gekozen moest worden,
dat daar pas te doen."

De onzichtbare en onbekende instantie die het dilemma voor de eerste mensen schiep, grijpt nu ten tweeden male in, constateert de lezer. De sterfelijkheid is voor wie het eeuwige leven heeft een aantrekkelijk aanbod, omdat het de kans biedt aan de eentonigheid van de eenvoud te ontsnappen. Er is licht en leven buiten het paradijs, in de grot. En dit besef, het besef dat zich een kans aandient die er maar één keer is en dat anders de eeuwigheid als een grote sluier van zalige onwetendheid weer op de eerste mensen valt, dit besef vernietigt de condities van het Rawlsiaanse gedachte-experiment. De volstrekt rationeel kiezende aanstaande neo-Kantiaanse wereldburger wordt 'overvallen door twijfel' of hij door alles bij voorbaat te weten werkelijk alles weet. En deze keer wordt in de twijfel een oplossingsrichting zichtbaar: misschien moet de keuze pas gemaakt worden in het leven zelf, binnen de beperkingen die dat leven aan de reiziger oplegt. Maar wat zal dat voor een leven zijn?

"We wierpen een blik op de aarde.
Er woonden al een stuk of wat waaghalzen.

Een zwakke plant
klampte zich vast aan een rots,
in het lichtzinnige vertrouwen
dat de wind hem niet zou losrukken.

Een klein dier
groef zich uit zijn hol
met een inspanning en hoop
die ons bevreemdden.

We vonden onszelf opeens te voorzichtig,
te kleingeestig en belachelijk."

Ja, denkt de lezer, nu is het gedachte-experiment voorbij, nu begint
het menens te worden.

"Weldra begon ons aantal trouwens af te nemen.
De ongeduldigsten waren nergens meer te zien.
Zij waren vertrokken voor de vuurproef
- ja, dat was duidelijk.
Ze probeerden net een vuur aan te steken
op de steile oever van een reële rivier.

Enkelen
hadden zelfs de terugweg al aanvaard.
Maar kwamen niet onze kant op.
En alsof ze iets -verworven? - droegen?"

8

En zo is het verhaal geen verhaal meer. Het gedachte-experiment is
voorbij. De literaire vorm heeft zijn functie vervuld. De verteller gaat
naar huis, de protagonisten hebben het toneel verlaten, de decors
zijn afgebroken en opgeslagen.

Het applaus is weggestorven.

Alleen de lezer blijft nu achter in de lege, de denkbeeldige zaal. In
foro interno. Omdat de innerlijke dialoog ook doorgaat als Plato's
academie gesloten is of Rawls reflectieve evenwicht weer niet is
bereikt. En de lezer verlangt nu een samenvatting, of nog liever: een
conclusie.

Deze lezer zou trouwens al blij zijn met een stellingname.

En leest dan in het programmaboekje: Het wetenschappelijke gedach-te-experiment heeft behoefte aan de macht van de verbeelding. Een werkelijk strenge wetenschap heeft de bevrijdende discipline nodig van het volstrekt niet op wetenschappelijke functionaliteit toege-sneden gedicht. Als wetenschappelijke en literaire bronnen tot het-zelfde domein van kennisvorming worden toegelaten, onder erken-ning van hun wezenlijke verschillen, is er kans dat er meer van het soort toevallige ontmoetingen gearrangeerd kunnen worden als die tussen Wislawa Szymborska en John Rawls. Achter de sluier van onze onwetendheid.

"Wij zijn niet meer met u, we zijn met hem"; Over *De Grootinquisiteur* van Dostojewski en de katholieke universiteit

Donald Loose

De katholieke universiteit: een pleonasme?
Enige jaren geleden was het zover. Het was niet meer tegen te houden. De "Katholieke Universiteit Brabant" moest en zou van naam veranderen. Hoewel als reden ook wel eens werd aangevoerd dat Brabant te regionaal klonk, zorgde vooral het katholieke voor verwarring. Tilburgse wetenschappers merkten in het buitenland voor kamerdienaren van de kerk te worden gehouden en daar hadden ze geen zin in. De "Universiteit van Tilburg" (minder regionaal dan 'katholiek'?) bleef zich bij die naamsverandering echter wel uitdrukkelijk profileren als "geïnspireerd vanuit de katholieke traditie". Deze academische instelling is er klaarblijkelijk toch van overtuigd dat haar autonome wetenschappelijke bedrijvigheid te verzoenen valt met de katholiciteit. Je mag dan hopen dat die katholiciteit uiteindelijk ook geïnspireerd is door de christelijke grondinspiratie. Of zou men de bekentenis van de grootinquisiteur van Dostojewski onderschrijven: "Wij zijn niet meer met U maar met hem"? Zijn politiek, wetenschap en de katholieke kerk zelf al eeuwen niet meer met Christus, maar met de argumenterende *diabolos*, diens tegenpartij, de duivel? Dan staat katholiek voor het kamp waar wetenschappers en de boom der kennis – het nieuwe logo van de universiteit – juist thuishoren, en dan was er eigenlijk geen probleem. Een universiteit is dan immers als de instelling van de bewijsvoering bij uitstek, onontkoombaar katholiek. Ze heeft het geloof verloren en weet wel beter. Ze zal overigens desgevraagd haar gelijk bewijzen en de erkenning ervan door anderen opeisen, zoals een grootinquisiteur dat doet. Zou het zo simpel zijn?

Jezus en de grootinquisiteur
De korte novelle 'de grootinquisiteur' maakt deel uit van de roman *De gebroeders Karamazow*. Ze wordt gepresenteerd als geschreven door de tweede zoon Karamazow, Iwan, de filosoof, die dat voor-

leest aan zijn jongere broer Aljosja, de mysticus. In het verhaal keert
Christus incognito in Spanje terug op aarde ten tijde van de verschrikkelijke autodafe's en de inquisitie in Sevilla. Het verhaal is duidelijk geïnspireerd op Schillers *Don Carlos* (dat ook aan de basis lag
van Verdi's indrukwekkende grootinquisiteur in zijn opera *Don Car-
lo*). De teruggekeerde Christus doet wonderen, geneest zieken en
wekt doden zoals in het evangelie van hem wordt verteld. De grootinquisiteur beseft welk een gevaar het charisma van deze man voor
zijn gezag betekent en laat hem arresteren. Waarom komt hij terug
en verstoort hij het geloof in het imperium, dat zich op zijn leer
beroept? Net als in de evangelies zwijgt de gearresteerde tegenover
zijn aanklager. Zijn enige antwoord is een kus op de bloedloze lippen van zijn belager. "Verdwijn en kom hier nooit meer terug" is het
enige wat de inquisiteur dan nog ten antwoord geeft. Want hij blijft
overtuigd van zijn gelijk, niet alleen voor zichzelf maar ook voor het
volk, voor wie hij dit werk heeft volbracht. Hij heeft een werelds rijk
ingericht, een katholieke kerk, waarin allen zalig en gelukkig kunnen worden als ze naar zijn richtlijnen leven, en niet alleen maar die
enkelen het redden die in staat zijn de ware vrijheid te dragen die
Jezus' boodschap uitdraagt. De vergissing van de historische Jezus
was dat hij de mensen schromelijk heeft overschat. Wat hen inte-
resseert is namelijk niet de last van de vrijheid, maar het genot van
bezit, het wonderbaarlijke, en bovenal de fascinatie voor macht en
gezag. Jezus heeft zich daarom drie keer vergist. Daar waar hij drie
keer weigerde, had hij drie keer ja moeten zeggen op de bekoring
van de duivel in de woestijn.

    Het verhaal van de grootinquisiteur gaat terug op dat van de evan-
geliën, waar de bekoring van Jezus wordt verteld bij de aanvang van
zijn openbare leven (Mt., 4, 1-11; Lc., 4, 1-13). De hedendaagse schriftuitleg onderstreept vooral dat daarmee door de vroege kerk een
Messiasbeeld wordt neergezet dat zich distantieert van de wonder-
doener die zichzelf met wonderen omwille van en ten bewijze van
zichzelf zou legitimeren. De ware mensenzoon weigert dit soort ido-
late zelfverheerlijking. Het wonderbaarlijke wat Jezus in de evangeliën verricht is er altijd voor de ander: zieken worden genezen, blin-
den zien, lammen worden opgericht en aan de verdrukten wordt de
blijde boodschap verkondigd. Daarom weigert Jezus in te gaan op
de eisen van de duivel, die niets anders zijn dan uitdagingen om zich

als Messias in wonderbaarlijke tekenen te bewijzen en wel ten behoeve van zichzelf. Telkens wordt de uitdaging, de bekoring of de verleiding van de kant van de duivel namelijk voorgelegd in een voorwaardelijke zin, die de twijfel al veronderstelt. *"Ei huios ei tou theou* ... Als jij de zoon van God bent, doe dan dit"*. De dia-bolos, de duivel, is een dia-lecticus, die redeneert en argumenteert volgens sluitende syllogismen en hypothesen die geverifieerd moeten worden. De duivel is zoals de grootinquisiteur, en Iwan zelf, iemand die argumenten heeft en zich daarmee legitimeert. Hij eist ze ook van een ander en bij gebrek daaraan kiest hij voor de tegenpartij. Dan is er geen God. Dan is Christus niet de zoon van God. De duivel triomfeert finaal als hij de gesprekspartner vernietigt omdat die geen tegenargumenten meer heeft.

De drie uitdagingen van de duivel waren: Als je de zoon van God bent, maak dan broden van deze stenen in de woestijn. Als je mij aanbidt, dan geef ik je alle koninkrijken der aarde. Als je de zoon van God bent, gooi je dan van de tempeltinne naar beneden want de engelen zullen je in hun handen opvangen. Drie keer weigert Jezus: de mens leeft niet van brood alleen; Gij zult alleen de heer uw God aanbidden en Hem alleen; Gij zult de heer uw God niet op de proef stellen. De inquisiteur heeft drie keer ja gezegd en het werk in Christus' naam tot een goed einde gebracht, daar waar Jezus jammerlijk is mislukt en ook niet slagen kon door zijn onverzettelijkheid. De vrijheid van de mens heeft de grootinquisiteur opgeofferd door ze aan hemzelf te laten afstaan en voor hen te beslissen. En juist nu zijn ze ervan overtuigd dat ze van een last bevrijd zijn, nu ze zelf niet meer hoeven te kiezen. De grootinquisiteur heeft broden gemaakt en de mensheid is als een dankbare en gedweeë kudde achter hem aangetrokken, zij het in angst en beven dat hij zijn uitgestoken hand zou terugtrekken en ze van zijn broden verstoken zouden zijn. Ze zien dat vrijheid en voldoende brood voor iedereen onverzoenbaar zijn, en ze zullen altijd kiezen voor het brood. Ze zullen de vrijheid aan de voeten van hun heersers neerleggen en zeggen: maak ons tot jullie slaven als jullie ons maar te eten geven. Ze zullen hen bewonderen die bereid waren de vrijheid, die zij zozeer vreesden, op hun schouders te nemen.

De grootinquisiteur weet dat hij daarvoor een prijs betaalt. Hij is gedwongen om te liegen en de massa voor te houden dat hij de belofte van vrijheid verwerkelijkt en dat hij zijn macht uitoefent in de naam van Christus en zijn boodschap. Dat is bedrog en daarom kan hij de ware Christus in zijn midden niet meer dulden. Hem moet het volk vereren. Voor hem moet het neerknielen. En daarmee is meteen het antwoord op de tweede nood van het volk gegeven, en een tweede ja aan de duivel uitgesproken, waar Jezus het weigerde. Want het volk wil een idool dat het kan aanbidden en het wil een antwoord op het mysterie van het bestaan. Altijd zal het degenen volgen die hun geweten bespelen met antwoorden die het kan begrijpen en die het zelf had kunnen verzinnen. Alleen daarvoor knielen ze neer, niet voor vage beginselen, hoge eisen en allerlei raadselachtige ideeën die de kracht van de mensen te boven gaan. De mens zoekt niet zozeer God als wel het wonder en het idool van de autoriteit. Jezus weigerde iets anders te aanbidden dan God zelf en hij weigerde het wonder. Hij heeft afstand gedaan van alle wereldse rijken van de aarde en zich niet van de tempeltinne naar beneden geworpen als teken van zijn macht. Hij begreep dat een stap in die richting ertoe zou leiden dat hij te pletter was gestort op de aarde die hij wilde redden. Maar die weigering betekende meteen dat het volk, dat alleen op wonderen is belust, hem ook nooit als zijn redder zou erkennen.

Wij hebben uw werk wel volbracht, zegt de inquisiteur. We hebben het wonder, het mysterie en de autoriteit beaamd. Wij hebben het mysterie van de vrijheid vertaald in een leer die de mensen kunnen begrijpen, een wonder dat ze kunnen beamen en een gezag dat ze zelf willen. Wij prediken dat het voor hen niet aankomt op de vrije keuze van hun eigen hart, dat het voor hen niet gaat om het mysterie van de liefde, maar om een mysterie waaraan ze zich blindelings moeten overgeven, al was het tegen hun geweten in. We zijn daarom niet meer met u. We zijn met hem die u datzelfde aanbod deed. Want wie anders kan over de mensen heersen dan diegenen die zich van hun geweten hebben meester gemaakt.

Iwan of Aljosja?
De Italiaanse filosoof Gianni Vattimo meent van het conflict af te komen door het te laten verdampen. Hij constateert dat de westerse wijsbegeerte er uiteindelijk zelf achter gekomen is dat Dostojewski gelijk had met zijn aanklacht van het tijdperk van de grootinquisi-

teur. We zijn nu in het tijdperk voorbij de metafysica, voorbij de objectieve waarheid en de orthodoxe leer. Dit is het tijdperk van het luchtige, lichte denken, *il pensiero debole.* Het probleem is echter dat uitgerekend de filosofie en de wetenschap dat nooit hebben kunnen aanvaarden. Voor de filosofie is er namelijk niets wat boven de filosofie en de redelijke argumentatie gaat, net als voor de wetenschapper in het algemeen. En dat geldt ook voor de politicus en diens verantwoordelijkheidsethos. Religie is waarachtige religie als ze voorbij het weten en het willen iets te bieden heeft. Haar troost is weggelegd voor de nederigen en de armen van geest. Toen de Farizeeën vroegen wanneer het koninkrijk van God zou komen, antwoordde de Mensenzoon: "Het koninkrijk van God komt niet op aantoonbare wijze. Ze zullen zeggen: kijk daar of kijk hier. Ga er niet heen. Loop hen niet achterna" (Lk., 17,20-23). Met andere woorden er is geen verificatie, er zijn geen argumenten. Tegenover een cascade van argumenten staat slechts een liefdevol zwijgen.

Het rijk Gods valt iemand in volle wetenschappelijke en speculatieve duisternis zomaar te beurt. Het komt als een dief in de nacht. Alles is hier genade. Als we dat zouden aanvaarden, dan zouden we werkelijk het christendom dat voorbij de wetenschap en filosofie is, binnen kunnen gaan. Dan zouden we bondgenoten zijn van de zwijgende Christus zonder argumenten, de Christus die in het verhaal van Dostojewski tegenover de verantwoording eisende grootinquisiteur staat. Dan zouden we aan de kant van de onthutste en mystieke Aljosja staan, de jongste van de Karamazows, aan wie Iwan, de filosoof en oudere broer het door hem geschreven verhaal over de grootinquisiteur voorleest, nadat hij hem duidelijk heeft gemaakt dat hij niet alleen zijn entreekaartje tot de door God verzonnen wereldorde liever teruggeeft, maar bovendien wraak eist voor de ongerechtigheid en het leed in de wereld niet langer accepteert.

Ik vraag me af of we als academici wel bereid zijn tot de sprakeloze aanvaarding van de mysticus, en of we daar bereid toe moeten zijn. Ik vrees dat ook wij, net als Iwan, met onze argumentaties en verontwaardiging over de wereld en onszelf nog lang niet klaar zijn. Wellicht zullen wij als de dienaren van de wetenschap en van het wijsgerige licht net zo min als Iwan aan dat onbewijsbare geloof van Aljosja toekomen, en moeten we – met Dostojewski – de illusie

laten varen dat we de waarheid van het christendom in het denken
zouden kunnen terugwinnen, of dat we wetenschap en christelijke
religie ooit in elkaar zouden kunnen schuiven.

Er is wel degelijk een christelijke inspiratie voorbij de wetenschap
en het christendom is voorbij alle filosofie. Maar daar haken de filosoof en de wetenschapper in principe ook af. Het is Iwan of Aljosja!
Volgens Dostojewski kiezen ze voor Iwan en dus voor de duivel, de
geperverteerde geest van het westen, die voor alles zijn redenen en
argumenten heeft, en die ook van iedereen vereist zichzelf te bewijzen. Wij academici, wij zijn niet meer met Christus, dus zijn we met
de duivel. Een universiteit is principieel niet meer geïnspireerd door
het christendom. Wij staan in het kamp van Iwan en de inquisiteur.
Een universiteit die zich geïnspireerd noemt door de katholieke traditie verkoopt dan slechts een pleonasme. Ze zegt daarmee niets
anders dan dat ze zichzelf bewijzen wil. Zou het zo simpel zijn?

Een inquisiteur van zichzelf
De bijbelse achtergrond biedt ons evenwel niet het ultieme perspectief waarin we het verhaal van Iwan kunnen begrijpen. De legende van de grootinquisiteur verwijst namelijk niet alleen terug naar
het bekoringsverhaal van het evangelie en de *Don Carlos* van Schiller. Het functioneert vooral in de bredere context van de roman.
Iwan heeft zijn verhaal immers geschreven om zijn doctrine te illu-
streren dat als God niet bestaat alles geoorloofd is. Dat is slechts de
conclusie van de empirische constatering dat alles klaarblijkelijk in
deze wereld geoorloofd is. Met name het feitelijke kwaad en bij uitstek het kwaad wat kinderen wordt aangericht, is het bewijs dat God
de harmonie van de wereld niet op een aanvaardbare wijze voor
elkaar krijgt. Iwan geeft daarom zijn entreekaartje tot deze wereld
aan de schepper terug. Hij weigert ook een dergelijke schepper te
aanvaarden. 'Er is geen fatsoenlijke schepper' is een conclusie uit de
feiten, en dan is, ten aanzien van de feiten, alles geoorloofd voor de
echte schepper, de mens.

Finaal is de grootinquisiteur als een creatie van Iwan natuurlijk
een creatie van Dostojewski, die de dialecticus Iwan heeft bedacht
en ook zijn spiegelbeelden, de grootinquisiteur en de duivel zelf, die
later in de hallucinatie van Iwan zelf nog ten tonele verschijnt. Zij
zijn allen boze geesten, het tegenbeeld van de Christus van Aljosja

en de staretz, of van Dostojewski's mystieke waarheid. Het gaat hier uiteindelijk om een gevecht van Dostojewski met zichzelf. Want Dostojewski die aan de kant van Christus, Aljosja en de Russische mystiek staat, en die de westerse katholieke kerk met haar rechtsorde, politieke macht en wereldse bemoeienissen verfoeit, heeft wel degelijk ook sympathie voor Iwan. We hebben namelijk eerder in de roman gelezen over een ander traktaat van Iwan, waarin hij de verhouding van kerk en staat uiteenzet. Niet de kerk moet deel van de staat zijn, maar eerder de staat onderdeel van de kerk. Echter niet van een zelf tot politiek verworden Roomse kerk, maar van een kerk waarvan het rijk niet van deze wereld is. Dat is Iwans ideaal. Die sympathie blijkt ook uit de bredere plot van het verhaal. Iwan is een gekwelde twijfelaar die het onrecht en het lijden niet verdraagt, in het bijzonder het lijden van kinderen is voor Iwan onaanvaardbaar: een obsessie van Dostojewski die overigens de indrukwekkende finale van de roman bepaalt. Aljosja vindt dan ook dat Iwan met zijn grootinquisiteur veeleer een loflied op Christus heeft geschreven en geen verguizing. Hij kust hem bij het afscheid zonder een woord te zeggen zacht op de lippen, net zoals de Christus in Iwans verhaal dat ten afscheid van de grootinquisiteur doet.

Iwan wordt in de roman bovendien getekend als degene die aan schuldgevoel ten onder gaat. Vóór het proces begint tegen Dmitri, de oudste zoon Karamazow, die beschuldigd wordt van de moord op de vader, weten we al wie de ware moordenaar is. Het is de bastaardzoon Smerdjakov. Hij heeft het omwille van zijn vaders geld gedaan. Maar Smerdjakov onthult aan Iwan ook dat hij het heeft gedaan omdat hij ervan overtuigd was dat Iwan hem daarin goedkeurde en het zelf wilde. Hij had immers gezegd dat als God niet bestaat alles geoorloofd is. Iwan begrijpt dat hij het uiteindelijk is die door de hand van Smerdjakov de ware moordenaar is. Smerdjakov zegt het zelf: ik was alleen het instrument. Die waarheid is empirisch niet bewijsbaar, maar Iwan weet in zijn hart dat het waar is. Hij neemt het gestolen geld van Smerdjakov aan en wil zichzelf aangeven.

Wie is Iwan? Dostojewski profileert hem als een aanklager - een inquisiteur - die zelf aangeklaagd wordt door zijn geweten. Dostojewski richt zijn aanklacht van Iwan niet van buiten uit, want van de dialectiek van deze duivel, en zijn Euclidiaanse logica kun je niet winnen. Hij laat hem van binnenuit zichzelf aanklagen en laat daarmee zien dat wie ooit naar één argument of bewijs voor de waarheid van Christus vraagt, daarmee Christus al verraden heeft, of nog, dat wie naar bewijzen van de waarheid vraagt daarmee al tot het kamp van de duivel hoort. En die positie is zelfvernietigend. Want wie altijd naar argumenten vraagt, vraagt het onmogelijke. De mystieke waarheid van Christus is even onbewijsbaar als zijn boodschap van vrijheid. Die vrijheid met een Euclidiaanse logica willen bewijzen, heft haar op en maakt het bestaan onmogelijk voor zichzelf. De *diabolos* is daarom bij Dostojewski waarlijk *dia-bolisch* (uiteengooiend) omdat hij in de eigen identiteit een onenigheid teweegbrengt en uiteindelijk de eeuwige twijfel over de eigen identiteit introduceert. Daarom gaat Iwan aan zijn eigen hallucinaties ten onder als aan een cartesiaans *malin genie* van zichzelf.

De duivel is hier niet slechts de geest die alles ontkent zoals in Goethes *Faust*. Als hem dat uitkomt, dan bevestigt hij juist. Hij speelt zelfs de rol van Iwans beschuldigend geweten. Het enige waar het hem om gaat is de tweespalt en de wig in het eigen zelf in stand te houden, waardoor het gespleten bestaan in stand gehouden wordt, zodat het zelfvernietigend, te gronde gericht en vergooid wordt. *Balle kato:* Vergooi jezelf is de enige en finale verleiding van de duivel. In de enscenering van het bekoringsverhaal door Lucas zet de duivel daarom ook finaal deze uitdaging in (afwijkend van de oudere volgorde van Matteus) : gooi u naar beneden, gooi u te pletter, vergooi uzelf in de bewijsvoeringen ten aanzien van mijn uitdaging, want ik bepaal de agenda als een ultieme inquisiteur. Alles wat u te uwer verdediging aanvoert keer ik tegen u als bewijs van uw ongelijk. Wie zichzelf verdedigt heeft het mystieke geloof al verraden. Wie de vrijheid in de empirie bewijst heeft zich al aan de wetten van het determinisme vergooid. Wie zich verdedigt staat al buiten de waarheid en alleen wie buiten de waarheid staat argumenteert. Daarom zwijgt de teruggekeerde Christus voor zijn aanklager. Gij zult de Heer uw God niet op de proef stellen!

De hele contradictie van Iwans onderneming en van de grootinquisiteur, is dat het de voltooiing is van de geschiedenis op een onhistorische wijze, in een geschiedenis zonder vrijheid namelijk, die dus geen geschiedenis kan zijn. Het is de vrijheid vernietigen om het goede te doen. Het is de waarheid van een doctrine verkondigen, die de waarheid verbiedt. Dat is de intrinsieke zelfvernietigende waarheid van het nihilisme. De grootinquisiteur noemt het zelf 'de geest van de zelfvernietiging en van het niets'. Dostojewski heeft op een meesterlijke wijze de logica van Iwan consequent doorgetrokken tot de aporie waartoe ze leiden moet en daarmee het zelfvernietigende karakter van die positie geïllustreerd. Iwan wil namelijk uiteindelijk dat zijn theorie juist en waar is. Zijn waarheid is de verificatie, de Euclidiaanse geest. De logica van de negatie, die hij huldigt, moet waar zijn. Dan 'bestaat' de duivel dus, die de negatie is en het kwaad. Dan is het geen hallucinatie die hem overkomt. Maar als de duivel als de werkelijke negatie werkelijk bestaat, dan moet ook God bestaan. Want alleen dan is de negatie werkelijk. Daarom is Iwans gewetenskwelling zonder uitzicht. Of hij moet de duivel als slechts zijn eigen hersenspinsel zien en als een hallucinatie. Maar dan is ook zijn hele denken en dus zijn argumentatie tegen God betwijfelbaar. Dan is het best mogelijk dat ook zijn denken en zijn weerleggen niet waar is, en alleen maar de werking van zijn eigen kwade genius, een cartesiaans *malin genie* en dat God alsnog gelijk heeft. Daarom wordt de duivel zelf getekend als een – weliswaar goed geschoolde en tot de betere kringen behorende – sociale parasiet. Hij kan in zijn onderhoud niet meer zelf voorzien en teert in op andermans fortuin. Hij leeft van een waarheid die hijzelf niet huldigt. Hij denkt de agenda te bepalen, maar eigenlijk is hij een afgeleide van de zekerheid van het geloof. Hij moet zich voortdurend aanpassen aan de ander. Hij is niets anders dan een gevallen engel.

De familie Karamazow en de universiteit
Hoe moet een academicus, een filosoof aan een theologische faculteit, gelieerd aan een universiteit die zichzelf profileert als geïnspireerd door de katholieke traditie, zich daarin staande houden? Verwijdert elk wetenschappelijk argument zich met Iwan alleen maar verder van de waarheid en is de waarheid slechts voorbij het argument te vinden? Er is wel degelijk een christelijke doctrine voorbij de wetenschap en voorbij alle filosofie. Ik denk dat het altijd zo geweest is, ook tijdens de hoogbloei van de metafysica, en dat het ook altijd zo zal blijven. Maar toch denk ik dat de filosoof en de wetenschapper terecht als wetenschapper afhaken wanneer er geen bewijzen meer in het geding mogen zijn. Volgens Dostojewski kie-

zen ze dan voor Iwan en dus voor de duivel, die redenen en argumenten geeft en ze ook eist en daarom aanklaagt wat hij niet kan vatten. Wij zijn niet meer met u, we zijn met hem. We hebben het christendom geschrapt en zijn een academische instelling van niveau geworden. En juist aldus zijn we vanuit die optiek door en door katholiek. Een universiteit is altijd katholiek.

Maar wellicht is de antithese van geloof en weten of van het christendom en de katholiciteit net zo onwaar als de te gemakkelijke identificatie. Iwan en Aljosja hebben veel gemeen. Iwan schetst de komst van Christus in Sevilla in alle stilte en onopgemerkt, maar toch herkende, vreemd genoeg, iedereen Hem. 'Dat zou één van de beste passages uit mijn poëem kunnen worden' vertrouwt hij Aljosja toe, 'ik bedoel de vraag waarom ze Hem herkennen'. Wat blijft is het geloof in de ingeving van het hart. De hemel geeft geen zichtbaar teken; geloof wat je hart je zal ingeven. De intellectuele verwerping van die waarheid van het eigen hart is blijkbaar niet opgewassen tegen de aanklacht van het leven zelf, het ongewroken leed en de onblusbare verontwaardiging die eruit voortvloeit. Waarom haasten we ons anders als academici zo om de maatschappij met haar interculturele en interreligieuze normen en waarden bij ons wetenschappelijk bedrijf te betrekken? Waarom doen we aan *business ethics* en beweren we in elk geval dat het dan om ethiek en het goede leven gaat? En betekent 'katholiek' in wezen niet de zorg voor het geheel (*kath' holon*), inclusief het integrale humanisme en de meest donkere kant van het menselijke bestaan?

Het is in die zin goed katholiek om 'katholiek' te schrappen als een exclusief epitheton. God is mens geworden, de logos kwam in de wereld en de waarheid spreekt uit alle werkelijkheid. De optie van de idioot en van de zwijgende Christus zonder argumenten blijkt overigens een positie die het in de wereld niet uithoudt. Als we Dostojewski's schetsen omtrent Aljosja's toekomst mogen geloven, dan hou je het daarmee zelfs in het klooster niet vol. De positie van de onveranderlijke zekerheid dreigt even onwrikbaar te worden als die van de inquisiteur. Ze heeft net zomin een geschiedenis als het dichtgetimmerde dogmatisme van de terreur van de macht. Omgekeerd functioneert de diabolische dialectiek van Iwan en van zijn inquisiteur trouwens evengoed als een apologie voor het ware Christendom als dat ze er een aanklacht van is. Dat zei Aljosja zelf al nadat Iwan hem de novelle had voorgelezen. De duivel verwerpt en beargumenteert trouwens ook beurtelings Iwans geweten en het bestaan van God. Hij is eigenlijk een perfecte toepassing van Pascals apologie, die berust op de onthulling van het ware inzicht van de mens in zichzelf: "Als de mens zichzelf ophemelt, dan haal ik hem naar beneden; als hij zich neerhaalt, dan prijs ik hem, en ik spreek hem altijd tegen, totdat hij begrijpt dat hij een onbegrijpelijk monster is." (*Pensées*, 420). Aanklacht en apologie hanteren dezelfde strategie. Zelfs het pauselijke document *Fides et ratio* berispt beurtelings de arrogantie van de zelfgenoegzame rede en het postmoderne ongeloof in haar vermogen. Geloof en rede zijn op zoek naar dezelfde waarheid en delen het geloof en ongeloof daarin. Iwan en Aljosja hebben veel gemeen.

"De grootinquisiteur" is uiteindelijk een gevecht van Dostojewski met zichzelf. Dostojewski's grootinquisiteur is het conflict van Aljosja en Iwan, het gevecht van geloof en rede, van christendom en wetenschap, van mystiek en politiek. Het is een gevecht van de gebroeders Karamazow onderling. We zijn niet met de ene zonder met de andere te zijn en de broers hebben qua inspiratie meer met elkaar gemeen dan ze zelf lijken te bevroeden. Daarom is het ook goed dat een universiteit die zichzelf profileert als geïnspireerd vanuit de katholieke traditie, niet alleen wetenschappers en filosofen, maar ook theologen herbergt. En om de dostojewskiaanse discussie tussen Iwan en Aljosja niet tot een al te simpele antithese, noch tot een al te simpele identificatie te herleiden, is het goed het gesprek tussen de gebroeders Karamazow te continueren. Laat ook de theologen dus maar een enkele filosoof uit de eigen familiekring in huis hebben zoals Iwan, en laten de filosofen zelf her en der een Iwan herbergen, die toch minstens aan zijn mystieke broertje Aljosja heeft beloofd: "Ik van mijn kant beloof je dat ik in ieder geval nog een keer met je kom praten. Daar kun je van op aan."

Als we ons geïnspireerd weten vanuit de christelijke traditie, dan moeten we vooral Dmitri niet vergeten. Voor de logica van de wereld is hij een moordenaar, maar wel onschuldig. Misschien is de uiteindelijke redding wel te verwachten van die oudste broer, die ten onrechte beschuldigd wordt van de vadermoord, en wordt veroordeeld omdat voor de wereld en naar menselijk inzicht alles tegen hem pleit. Het pleidooi van zijn advocaat is nog maar eens een variant van Dostojewski's geloofsbelijdenis, die het mystieke vooroordeel laat voorgaan op het recht en op strikt humane, verstandige en Euclidiaanse inzichten. "Laat andere volkeren volgens de letter van de wet spreken maar laat bij ons de geest en het inzicht triomferen opdat zij die verloren dreigen te gaan gered en herboren worden voor een nieuw leven ... In uw handen ligt het lot van mijn cliënt, in uw handen ligt het lot van de Russische waarheid!" Het heeft voor de jury niet mogen baten, maar eens te meer spreekt hier wat Proust ooit als de Dostojewski-logica van diens romans en van het leven zelf typeerde: hoe schijnbare schoften heiligen kunnen zijn en de heiligen zelden in een geur van heiligheid overlijden.

Wie weet voor wie en hoe en wat soort redding Dostojewski met het beoogde vervolg op de roman nog in petto had? Er is alvast een papiertje van hem bewaard gebleven, waarop hij kort voor zijn dood gekrabbeld heeft: het is Dmitri die Iwan weerlegt, niet Aljosja, die in een wereld met alleen maar heiligen en kinderen leeft. Dmitri kent het ware leven en heeft er ook de duistere kant nooit van miskend, noch geschuwd. En dat is ook de jonge Iwan niet vreemd, al heeft hij beslist op zijn dertigste de balans op te maken en desnoods de beker van het leven weg te gooien.

"Als ik niet meer in het leven geloof, als de vrouw waar ik van hou mij ontgoochelt, als ik niet meer geloof in de orde van de dingen, als ik integendeel zelfs tot de overtuiging ben gekomen dat er niets anders bestaat dan een ordeloze, vervloekte, en misschien wel duivelse chaos, als alle verschrikkingen van menselijke ontgoochelingen mijn deel zijn geworden, dan zal ik toch willen leven: nu ik eenmaal die beker aan mijn lippen heb gezet zal ik hem niet meer loslaten tot ik hem helemaal uitgedronken heb....Ik wil leven en ik leef, al is het ook in weerwil van iedere logica. Laat ik dan niet in de orde van de dingen geloven, maar ik houd van de kleverige blaadjes die zich openvouwen in de lente, ik houd van de blauwe lucht, van sommige mensen zonder dat ik soms zelf weet waarom, ik houd van sommige heldendaden waarin ik misschien al lang niet meer geloof, maar die ik me toch altijd met liefde zal blijven herinneren."

"Ik geloof dat alle mensen vóór alles het leven op aarde moeten liefhebben... de liefde gaat vóór de logica, eerst het leven liefhebben en pas daarna zul je de zin van het bestaan begrijpen" beaamt Aljosja.

De bandeloze Dmitri zegt uiterst weinig ter zijner verdediging op het einde van zijn proces. Hij zegt slechts dit: "Aan het bloed van mijn vader ben ik niet schuldig. Ik heb losbandig geleefd, maar ik hield van het goede...Als u me vrijlaat zal ik voor u bidden...Spaar me, beroof me niet van mijn God!" Staat uiteindelijk de schuldeloze Dmitri voor de overwinning van de waarheid en het leven zelf, het leven zoals het werkelijk is? Juist door in zijn verbanning te overleven zal hij het gelijk van die waarheid bewijzen. Zou hij daarom het aanbod om naar Amerika te vluchten afwijzen? "Ik zou een nieuwe dwangarbeid op me nemen die misschien niet minder zwaar is dan Siberië. Al zijn ze daar allemaal van hoog tot laag weergaloze technici, of wat dan ook, de duivel mag ze halen, mijn mensen zijn het niet. Ze liggen me niet! Ik houd van Rusland, ik houd van Ruslands God, ook al ben ik zelf een schoft."

Zonder duiding en begrip wordt ook dat zogenaamde ware leven evenwel binnen de kortste tijd platvloers. Het is voor die vermetelheid dat Herman Hesse waarschuwde, die in de Karamazows de komende, al nabije mens van de Europese crisis zag, waarin de driften weer wakker worden en de moeizaam door civilisatie beteugelde natuurkrachten weer als de beesten brullen. Als een cultuur moe wordt van de pogingen tot domesticatie van de mens en begint te wankelen, dan ontstaan er Karamozows. Maar in de combinatie van Iwan en Aljosja ziet hij ook al de belofte van hoe de komende en nieuwe cultuur eruit kan gaan zien. Zonder heiligheid verliest het leven inderdaad zijn glans. Wat is een Dmitri zonder Iwan en zonder een Aljosja? Maar Aljosja kent het ware leven niet en Iwan miskent het. We kunnen niet één van de Karamozows missen. Zelfs de bastaard Smerdjakov is uiteindelijk degene die aan de wijsneus Iwan duidelijk moet maken waar de door hem gehuldigde ideologie toe leidt. Dostojewski besluit het hoofdstuk over de grootinquisiteur niet voor niets aldus: 'Later in zijn leven vroeg Aljosja zich verscheidene keren met grote verbazing af hoe hij toen, na het afscheid van Iwan, zijn broer Dmitri zo volkomen had kunnen vergeten, en dat ofschoon hij zich een paar uren tevoren stellig voorgenomen had hem te zoeken en niet terug te keren voor hij hem gevonden had, ook al zou hij de nacht buiten het klooster moeten doorbrengen'. De grootste bekoring van zowel de mysticus als van een inquisiteur, van de filosoof en wetenschapper, is misschien wel dat ze het leven zelf vergeten.

Een universiteit die zich geïnspireerd noemt door de katholieke traditie is er voor de wereld en voor het leven zoals het werkelijk is. Als dat niet het geval is, dan dient ze – alle opgeblazen intellectuele zelfverheerlijking, maatschappelijke relevantie en herkenbare orthodoxie ten spijt – tot niets. Hesse's eindoordeel over de roman liegt er niet om: "De enige moordenaars in deze lange roman die bijna uitsluitend over doodslag, roof en schuld gaat, de enige moordenaars, de enigen die schuldig zijn aan moord zijn de officier van justitie en de gezworenen, de vertegenwoordigers van het oude, goede, traditionele bestel, de burgers en de onberispelijken. Ze veroordelen de onschuldige Dmitri, ze bespotten zijn onschuld, ze zijn rechter, ze beoordelen God en de wereld volgens hun codex. En juist zij vergissen zich, juist zij doen vreselijk onrecht, juist zij worden moordenaars uit kleinzieligheid, uit angst, uit beperktheid."

Uiteindelijk zijn zij de inquisiteurs, die de waarheid misgelopen zijn. De universiteit is de instelling bij uitstek om die zelfverblinding van de maatschappij te doorbreken, maar wat garandeert haar dat ze niet dezelfde verblinding dient? Wellicht moet ook zij er in alle stilte regelmatig aan worden herinnerd dat ze drie keer 'neen' had moet zeggen, wil ze niet te pletter slaan op de aarde die ze wilde redden. Want wat baat het te weigeren de kamerdienaar van een kerk te zijn, om slechts de sleepdraagster te worden van de zichzelf bevestigende maatschappij?[1]

---

1   *De gebroeders Karamazow* verscheen als vol. 9 van F.M. Dostojewski, *Verzamelde werken,* in de Russische bibliotheek, G.A. van Oorschot, Amsterdam. Voor een analyse van het hele oeuvre van Dostojewski verwijs ik naar J. Frank, *Dostoevsky,* Princeton University Press, 5 banden. *De Gebroeders Karamazow* wordt geanalyseerd in vol. 5, *The Mantle of the Prophet, 1871- 1881,* Princeton, 2002. Voor een overzicht van interpretaties van "De Grootinquisiteur", zie X. Tilliette, Introduction, in: Dostoïevski, *la Légende du Grand Inquisiteur,* D.D.B., Paris, 1958, p. 7-55 (heruitgegeven in *La Mémoire et l'Invisible,* éd. Ad Solem, Genève, 2002, p. 225 - 257) en "La tentation du Christ" in: *Les Philosophes lisent la Bible,* Cerf, Paris, 2001, p. 133 - 149. Het commentaar van H. Hesse, 'De gebroeders Karamozov of de ondergang van Europa' verscheen in H. Hesse, *Kleine literatuurgeschiedenis,* Aspekt, Soesterberg, 2004, p. 215 - 239.

Literatuur en psychologie

Karel Soudijn

In de herfst van 2003 publiceerde Bernlef zijn roman *Buiten is het maandag*. Stijn Bekkering – hoofdpersoon uit dit boek – verliest bij een auto-ongeluk zijn vrouw Geesje. Zelf raakt hij bij dit ongeluk in coma, waar hij pas na tien dagen uitkomt. De dood van zijn vrouw is voor hem een zwart gat: hij was erbij, maar kan zich er niets van herinneren. Soms krijgt Stijn het gevoel dat hij dicht bij het moment van haar sterven kan komen, wat hem sterk aangrijpt, maar een dag later lijkt het alsof dit verlies een ander betrof.

De huisarts vertelt dat een rouwproces minimaal een jaar duurt, maar dat klopt voor zijn gevoel niet. Wel herkent hij het verstrijken van de tijd aan zijn verhouding tot de voorwerpen in huis. Eerst zijn het nog helemaal de dingen die Geesje gebruikte en waar Stijn eigenlijk niet aan mag komen. Geleidelijk aan gaat dat gevoel weg: alsof de voorwerpen meer afstand tot haar nemen.

Stijn handelde in het Noord-Hollandse Obdam in tweedehands meubelen. Nu leeft hij echter in een afgelegen plaats in Canada. Ook daar begon hij eenzelfde soort opkoperij van inboedels.

Hoe komt iemand uit Obdam in Canada terecht? In Nederland is de zoon van Stijn van de ene op de andere dag verdwenen. Na lange tijd wordt die zoon in Canada gesignaleerd. Stijn reist hem achterna en vindt hem terug. Vervolgens blijft Stijn daarginds rondhangen, ook al vertrekt zijn zoon weer naar Nederland. In Canada loopt de nieuwe handel in oude meubels redelijk, en waarom zou je dan weer naar Obdam gaan? Stijn voelt zich nauwelijks meer met zijn familie verbonden; de relatie met zijn zoon was vroeger al afstandelijk.

Het is in deze roman opmerkelijk dat bijna iedereen waarmee Stijn te maken krijgt sterk op zichzelf is teruggeworpen. Ze zijn allemaal iemand kwijtgeraakt op wie ze dachten te kunnen vertrouwen. Dergelijk verlies maakt het leven tragisch, maar biedt ook vrijheid. Zoals bij Stijn: het doet er niet meer toe waar hij leeft. In Canada woont hij in een gebied waarin 's winters de huizen ingesneeuwd raken maar dit betekent vooral dat je op tijd een behoorlijke voorraad voedsel, drank en brandstof moet aanleggen. Contact met anderen was er toch al weinig. Wie op zichzelf is teruggeworpen, kan een bijzondere relatie met levenloze objecten ontwikkelen. In Obdam herinnerden de dingen aan Geesje; in Canada bieden meubels en andere voorwerpen de mogelijkheid om te fantaseren over het leven van hun vroegere eigenaren. Soms valt daar echt iets van te achterhalen, omdat iemand zich die andere mensen nog voor de geest weet te halen. Maar als de herinnering ontbreekt, mogen de lacunes worden opgevuld met zelfverzonnen verhalen.

Voor mij als psycholoog zit deze roman van Bernlef vol met uitnodigingen om de vakliteratuur te overdenken. Er is bijvoorbeeld onderzoek uitgevoerd naar rouwverwerking. Rouw is volgens psychologen een proces waarbij men geleidelijk aan terugkeert tot de werkelijkheid, en waarbij men ook weer een positieve betekenis aan het leven geeft.

Klopt dit? Zoals ik onderzoeksresultaten hier samenvat, is het leven van mensen wel erg simpel voorgesteld. Bernlef beschrijft weliswaar een *geleidelijk* proces, maar we kunnen niet zomaar volhouden dat Stijn Bekkering tot 'de' werkelijkheid terugkeert. Er bestaat voor hem geen scheiding tussen zijn eigen gevoel en een elders te lokaliseren werkelijkheid, dus is er ook geen sprake van 'terugkeer'. De werkelijkheid, dat is toch ook het hele complex van iemands gevoelens en gedachten?

Wel kunnen we volhouden dat er een proces plaatsvindt waarbij betekenissen veranderen. Worden die betekenissen tijdens dit proces positiever? Een lastige vraag. Ondanks het verlies van Geesje slaagt Stijn Bekkering er in om geestelijk en emotioneel op de been te blijven. Zoiets valt als 'positief' te duiden. Maar het verlies van zijn vrouw maakt het voor hem ook gemakkelijk om heel Obdam en zijn verdere familie achter zich te laten. Moeten we dat een positief proces noemen? Of is het negatief? Mij lijkt het passend om geen definitieve keuze te maken uit deze twee mogelijkheden. Het leven is geen eindexamen waarbij onze verschillende activiteiten voor eeuwig een plus of een min toebedeeld krijgen. De achterblijvers in Obdam zullen het misschien jammer of vervelend vinden dat Stijn niet terug wil keren; voor hem heeft het vroegere leven kennelijk aan waarde verloren, nu Geesje er niet meer is.

Ook dit is echter niet helemaal correct uitgedrukt. Misschien moeten we het anders formuleren: het vroegere leven had juist heel veel betekenis, maar door de dood van Geesje bestaat het alleen nog maar in de herinnering. De herinnering aan haar maakt het gemakkelijker om de band met de Noord-Hollandse werkelijkheid door te snijden.

Met het woord 'herinnering' komt een volgend psychologisch thema in beeld: de werking van het geheugen. Dit is een onderwerp waarover psychologen in de loop der tijd veel onderzoek hebben gedaan. Vooral de laatste jaren nam dit thema sterk toe in populariteit. Slaan we gebeurtenissen op in een reservoir van onze geest, waar we ze soms gemakkelijk en soms heel moeilijk uit tevoorschijn kunnen vissen? Of is herinneren een actief proces waarbij telkens opnieuw een verhaal over 'vroeger' wordt gecomponeerd?

Dit soort vragen is belangrijk bij rechtszaken. Weten ooggetuigen van een misdrijf nog precies wat ze hebben gezien, of reconstrueren ze hun waarneming van gebeurtenissen? Herinneren we ons 'de werkelijkheid' (daar heb je dat vervelende begrip weer!), of herinneren we ons vooral een herinnering? Dit laatste is geen flauwe woordgrap. Indien we ons geheugen voortdurend aan het reconstrueren zijn, dan is een recente herinnering aan 'vroeger' (mede) gebaseerd op de manier waarop we ons een vorige keer dat verleden voor de geest hebben gehaald.

Stijn Bekkering is in de roman van Bernlef vaak bezig om levenloze voorwerpen te gebruiken als hulpmiddel bij een reconstructieproces. Het is niet voor niets dat Bekkering zowel in Obdam als in Canada handelt in afgedankte meubels. Tussen die voorwerpen van andere mensen voelt hij zich prettig. In Obdam kende hij de verhalen van mensen van wie een inboedel afkomstig was. In Canada staat hij veel verder van de vroegere eigenaren af, maar wordt hem soms iets duidelijk uit achtergelaten fotoalbums. Ook als hij de 'werkelijke' levensverhalen niet kent, kan hij zich er wel een voorstelling van maken: andermans meubilair is met enige fantasie te vertalen in een levensgeschiedenis. Het doet er niet toe in hoeverre dit een verzinsel is: er zijn geen andere mensen meer in de buurt om er correcties op toe te passen.

Afgedankte meubelstukken vormen voor Bekkering de grondstof voor verhalen. Als iemand op deze manier verhalen over anderen verzint, dan is het ook niet zo vreemd dat levenloze voorwerpen bruikbaar zijn om het eigen levensverhaal vorm te geven. In *Buiten is het maandag* confronteert Bernlef de lezer met een schijnbare tegenstrijdigheid. Kort na het auto-ongeluk doen Geesjes nagelaten bezittingen heel sterk aan haar denken; geleidelijk aan wordt de kracht ervan echter minder. Dit lijkt dan te impliceren dat Stijn Bekkering de herinnering aan haar alleen maar levend kan houden door steeds op een andere manier, ook bijvoorbeeld met heel andere objecten, zichzelf verhalen over haar te vertellen.

Wie gefascineerd raakt door geheugenprocessen, kan zich tegoed doen aan een bundel essays van Douwe Draaisma, *Waarom het leven sneller gaat als je ouder wordt: de geheimen van het geheugen.* Die bundel laat in de volle breedte zien hoe psychologen zich in de loop der tijd bemoeiden met ons geheugen.

Zelf las ik de roman van Bernlef en de bundel van Draaisma kort na elkaar: het ene boek deed het andere sterker oplichten. De geheimen van het geheugen worden bij Draaisma gedeeltelijk ontraadseld. De gepresenteerde oplossingen, hoe primitief ook, maken het gemakkelijk om me betrokken te voelen bij Stijn Bekkering. Toch vindt hier geen eenrichtingsverkeer plaats. Het verhaal van Bernlef over Bekkering laat ook zien dat mensen hun leven op een persoonlijke manier leiden. Misschien is iedereen wel in staat om het eigen brein te meubileren met oude inboedels, maar de hoofdpersoon uit *Buiten is het maandag* doet dat toch weer anders dan u of ik. Op die manier bekeken is deze roman een uitnodiging om na te denken over de wijze waarop mensen ongrijpbaar zijn voor psychologen die naar algemene wetmatigheden zoeken. De manier waarop Bekkering betekenis geeft aan levenloze objecten zegt ook iets over het bijzondere karakter van deze hoofdpersoon. Al ver voor de dood van Geesje voelde Stijn zich vooral tussen de afgedankte kasten, tafels en stoelen van anderen op zijn gemak. Niet ieder mens begint een uitdragerij in Obdam. Die bijzondere start tekent al vroeg het leven van Stijn. Iemands karakter geeft kennelijk óók richting aan latere rouw- en herinneringsprocessen.

De verhouding tussen literatuur en psychologie is een moeizame. Wie over psychologie een leerboek openslaat, krijgt de indruk dat psychologen vooral relaties tussen variabelen willen formuleren. Dit streven is trouwens ook kenmerkend voor allerlei disciplines die rond de psychologie zijn gevlijd. Het gaat niet om beter begrip voor iemands persoonlijke kenmerken. Doel van de psychologie als wetenschap is vooral: samenhang ontdekken.

Om niet te blijven steken in rouw en herinnering illustreer ik dit streven met het volgende voorbeeld. Laten we veronderstellen dat u in televisieprogramma's regelmatig een politicus ziet optreden aan wie u iets opvalt. Deze politicus reageert vaak emotioneel; tegenstanders in het debat verleiden hem gemakkelijk tot het maken van hatelijke opmerkingen. Bovendien praat hij erg luid en snel. Hij wacht meestal niet af tot zijn gesprekspartner is uitgesproken. Vaak maakt hijzelf diens zinnen af, of hij valt hem in de rede met een snelle reactie.

Zo beschreven zijn dit zijn gewone waarnemingen, weergegeven in gewone mensentaal. Een *psycholoog* is echter geneigd om die waarnemingen meteen te vertalen in hogere abstracties. Wat in het voorbeeld beschreven staat, aldus de psycholoog, is kenmerkend voor een 'type-A gedragspatroon'. Psychologen gebruiken in de beschreven situatie dit begrip, omdat de waarnemingen meteen een relatie tussen variabelen opleveren: mensen van het A-type hebben een grotere kans op hartinfarct dan anderen. Hiermee is niet precies gezegd waaraan de politicus uit het voorbeeld later zal sterven. Andere doodsoorzaken mogen we niet bij voorbaat uitsluiten, maar er bestaat een duidelijk positief verband tussen het beschreven gedragspatroon en aandoeningen van het hart.

Om relaties tussen variabelen te kunnen formuleren, moeten psychologen echter afzien van de unieke wijze waarop iemand zich kan gedragen. De psychologie moet het hebben van categoriseren en sorteren, want anders lukt het niet om tot de gewenste samenhang te komen. Stijn Bekkering lijkt me trouwens het tegenovergestelde van een A-type. Hij is meer een B-type, iemand met grotere kans op een andere doodsoorzaak dan het hartinfarct.

Romans, verhalen en gedichten werken ondermijnend. Ze dwingen psychologen om naar unieke kenmerken te zoeken en om oog te krijgen voor de beperkingen van de sorteermachine.

Zelf raakte ik ooit zeer gecharmeerd van een uitspraak van Gregory Bateson (een geleerde die niet in één categorie is onder te brengen): 'Twee beschrijvingen zijn beter dan één'. Goede literaire werken verleiden mij om ontevreden te zijn met één interpretatie: natuurlijk is het waar dat personages uit een roman beschouwd kunnen worden als representant van een bepaalde categorie (eerste beschrijving), maar ze hebben ook iets bijzonders (tweede beschrijving). De ideale roman of het ideale gedicht tovert nieuwe categorieën tevoorschijn, en zorgt ervoor dat we zelfs deze als vervangbaar beschouwen. Alles wat ik hierboven schreef over Stijn Bekkering, is hooguit ten dele waar.

Psychologen groeien zelden uit tot grote romanschrijvers of bijzondere dichters. Wel lijkt er een geheim huwelijk gesloten te zijn tussen literatuur en psychologie. Die relatie is trouwens niet erg monogaam: de literatuur verbond zich in het geheim met tal van andere partners.

Douwe Draaisma, de eerder genoemde psycholoog die een bundel over het geheugen schreef, ontving voor zijn boek zowel literaire als wetenschappelijke prijzen. In zijn werk is de grens tussen wetenschap en literatuur gemakkelijk te overschrijden. Maar ook bij andere geleerden zien we vaak een glimp van het literaire. Zelfs bij onderzoekers naar het 'type-A gedragspatroon'. Over het bestaan van mensen van het A-type werd in eerste instantie gepubliceerd door cardiologen. Zij vertelden bij de introductie van hun begrip een anekdote. Andere onderzoekers, zoals psychologen, nemen deze anekdote graag over.

In eigen woorden naverteld luidt het verhaal als volgt. De werkster die 's avonds in een cardiologische praktijk kwam schoonmaken, zag in de wachtkamer iets vreemds. Het viel haar op, dat de zittingen van de stoelen *aan de voorste rand* sterk gesleten waren. In wachtkamers van andere medische specialisten, waar zij ook schoonmaakte, vertoonden juist de rugleuningen slijtageplekken.

Op een gegeven moment vertelde de werkster aan de cardioloog wat zij had gezien. Die cardioloog onderkende meteen de bijzondere betekenis van haar observatie: hartpatiënten zijn gehaaste mensen, en daarom zitten ze vaak op het puntje van hun stoel, in plaats van rustig achterover te leunen. Via dit idee van gehaastheid werd de samenhang tussen gejaagd optreden en hartziekte nader onderzocht. Eerst meende men dat vooral die jachtigheid het hartinfarct bevorderde. Later onderzoek wees uit, dat jachtigheid als zodanig niet dodelijk is. Er moet vooral ook een flinke scheut rancune aan worden toegevoegd, dan wordt de relatie pas echt sterk.

Het is een verhaal met een sensationeel tintje: 'Werkster doet baanbrekende ontdekking!' In die vorm fungeert het als een literair argument om bijzondere aandacht op te eisen voor een bepaalde onderzoekslijn.

Dit vind ik nu juist het fascinerende van wetenschappelijke publicaties. Zonder dergelijke verhalen en anekdotes verzinken we in een veelheid aan categorieën en onderlinge relaties die nauwelijks nog uit elkaar te houden zijn. Goede onderzoekers weten echter door een pakkend verhaal alle aandacht op te eisen. Van die korte verhalen geef ik hieronder nog enkele voorbeelden.

Aan de Tilburgse universiteit promoveerde Gilles Pourtois in 2002 tot doctor op een proefschrift, getiteld *Multi-sensory perception of affect: evidence from behavioural, neurophysiological and brain-imaging methods*. Er zijn – zo leren we uit deze dissertatie – diverse technieken ontwikkeld waarmee processen in de hersenen zichtbaar kunnen worden gemaakt. Pourtois past een aantal van deze technieken toe om te beschrijven waar precies de verwerking plaatsvindt van boodschappen die emotioneel zijn getint. Speciale aandacht gaat hierbij uit naar de verwerking van boodschappen via oog en oor. Gedurende korte tijd laat Pourtois foto's zien van gezichten die een bepaalde emotie vertonen. Ook laat hij zijn proefpersonen via de geluidsband korte boodschappen horen die met een emotionele klank worden uitgesproken. In emotioneel opzicht kunnen de boodschappen synchroon lopen maar ze kunnen ook tegengesteld aan elkaar worden gepresenteerd. In het laatste geval krijgt een proefpersoon bijvoorbeeld een blij gezicht te zien terwijl meteen via de oren een boze mededeling klinkt. Pourtois wilde weten of het voor de hersenen verschil uitmaakt of boodschappen in emotionele zin al dan tegengesteld aan elkaar zijn.

Zo samengevat is dit slechts een onderzoeksvraag uit een oceaan van mogelijkheden. Waarom zouden we nu juist hierin geïnteresseerd moeten zijn? Om potentiële lezers zijn proefschrift binnen te loodsen, gebruikt Pourtois een literaire techniek. Hij vertelt ons namelijk over de oorsprong van zijn fascinatie, en dat verhaa, hoe kort ook, heeft iets literairs. Eén van de leermeesters van Pourtois, zo schrijft hij, was geboeid door buiksprekers. De voorstelling van een buikspreker is toch wel heel merkwaardig. Iemand zit met een pop op schoot. We weten dat die pop niet kan spreken maar als we de lippen ervan zien bewegen, horen we de pop antwoord geven op de vragen van diens baas. Het kan niet, maar gebeurt toch. Horen we met onze ogen? Kijken we met onze oren?

Wat de genoemde leermeester van Pourtois nu verder onderzocht bij buiksprekers en hun poppen is eigenlijk van geen belang meer. Pourtois heeft me via dat raadselachtige beeld van de buikspreker zijn leslokaal binnengetrokken. Nu wil ik ook alles lezen over kijkende oren en horende ogen, zeker als er emoties bij te pas komen, ook al zijn veel van de technische uiteenzettingen in dit proefschrift veel te moeilijk voor me. Ondertussen snap ik wel beter waarom ik het zo vervelend vind om een telefoongesprek in een vreemde taal te voeren. Ik versta zo weinig omdat mijn ogen niet kunnen meekijken.

Soms zien we tweerichtingsverkeer. De Amerikaanse psycholoog Irvin Janis analyseerde indertijd een internationale crisis uit 1961 waarbij de regering Kennedy een belangrijke rol speelde: het Varkensbaai-incident. De Amerikaanse regering besloot tot een invasie van Cuba, maar dit werd een volledig fiasco. Bovendien vergrootte het regeringsbesluit de kans op een kernoorlog. Janis maakt duidelijk hoe Kennedy en zijn directe adviseurs tijdens het proces van besluitvorming allerlei belangrijke informatie over te verwachten tegenstand in Cuba negeerden. Die informatie was wel degelijk beschikbaar, maar men sloot er zich voor af omdat reeds zo snel consensus was bereikt over de voorgenomen invasie.

In een boek uit 1972 – waarin ook andere politieke catastrofes aan bod komen – maakt Janis duidelijk, hoe gevaarlijk snel bereikte consensus kan zijn: mensen op sleutelposities nemen nieuwe informatie niet meer op. Wanneer men gezamenlijk tot een besluit is gekomen, gaan kennelijk de oren en ogen dicht. Aan zijn boek hierover gaf Janis de volgende titel mee: *Victims of groupthink: a psychological study of foreign policy decisions and fiascoes.*

Met die titel haalde Janis de literatuur in huis. 'Groupthink' verwijst namelijk naar de roman *Nineteen Eighty-Four* van George Orwell. Daarin wordt een totalitaire samenleving beschreven waarin onder andere een nieuwe taal ertoe moet bijdragen dat iedereen zich in doen en denken conformeert aan de autoriteit. Die taal duidt Orwell aan als Newspeak. Deze taal drijft op nieuwvormingen waarbij bestaande begrippen in elkaar worden geschoven, iets wat eerder trouwens al plaatsvond in autoritaire samenlevingen zoals de Sovjetunie en Nazi-Duitsland. Een begrip zoals 'groupthink' past uitstekend in Newspeak.

Door met 'groupthink' een révérence in de richting van George Orwell te maken, gaf Janis zijn onderzoeksverslag meteen een zware lading. Via *Nineteen Eighty-Four* kwam John F. Kennedy, overdrachtelijk beschouwd, in dezelfde kist te liggen als Stalin en Hitler. De retorische kracht van 'groupthink' is bovendien zo groot, dat het onderzoek van Janis als afschrikwekkend voorbeeld ging gelden voor zo ongeveer elk besluitvormingsproces. Ook in hedendaagse bedrijven en organisaties kunnen psychologen ondernemers nog slapeloze nachten bezorgen door de gekoppelde boodschap van Janis en Orwell te verkondigen: 'Pas op voor overhaaste consensus! Houd ruimte voor tegenspraak, anders wacht u een rampzalige geschiedenis.'

De literaire associatie werkte bij Janis in meer dan één opzicht voortreffelijk. Door een literair beladen term te gebruiken, kreeg zijn studie veel aandacht. De suggestie van generaliseerbaarheid werd er ook door bevorderd want Orwell schreef een roman over de toekomst, al trok hij lessen uit het verleden. Het al bij voorbaat zwaar beladen begrip 'groupthink' leidde er bovendien toe, dat talrijke andere onderzoekers een speurtocht ondernamen naar variabelen die deze vorm van denken bevorderden of ondermijnden. Met weinig moeite zijn de resultaten van Janis en diens navolgers te vertalen in relaties tussen variabelen. 'Groupthink', aldus is de redenering, wordt niet alleen bevorderd door vroeg bereikte consensus, maar ook door bijvoorbeeld:
- een sterke, autoritaire groepsleider;
- tijdsdruk;
- overdreven optimisme en een illusie van onkwetsbaarheid;

- de overtuiging dat 'wij' het goede nastreven, zonder dat we ons afvragen of onze voorgenomen daden wel zo goed zullen uitpakken;
- een stereotiep beeld van de tegenstander;
- druk op mensen met een afwijkende mening om toch maar vooral loyaal te blijven;
- zelfcensuur: ervoor terugschrikken om een afwijkende mening te geven;
- een illusie van unanimiteit;
- 'mind guards' die de groep afschermen tegen informatie die niet past bij het beeld dat men al heeft gecreëerd.

Veel onderzoek in de psychologie en andere disciplines beïnvloedt mijn manier van denken niet zozeer door de gevonden details, maar door het *beeld* waarmee het wordt gepresenteerd. Soms is dit beeld een anekdote, soms is het een begrip. Vaak is dat beeld de beschrijving van een proefopstelling. Amos Tversky en Daniel Kahneman hebben enkele decennia geleden tal van kleine proefjes uitgevoerd om te beschrijven aan welke beperkingen ons oordeel onderhevig is wanneer we snelle beslissingen moeten nemen. In één van die proefjes (in 1974 beschreven in het tijdschrift *Science*) gebruikten zij een rad van avontuur. Op het rad waren cijfers van nul tot honderd geschreven. Een draaiende pijl kon bij één van die getallen stil blijven staan.

Proefpersonen die met dit rad van avontuur werden geconfronteerd, kregen vragen te beantwoorden waarbij het antwoord een percentage was. Een dergelijke vraag luidde: 'Wat is het percentage Aziatische landen in de Verenigde Naties?' Voordat een vraag werd gesteld, lieten de onderzoekers de pijl langs de getallen draaien; op een willekeurige plaats kwam de pijl vervolgens tot stilstand. Nadat aan de proefpersonen een vraag was gesteld moesten zij de pijl verplaatsen naar het getal dat de beste schatting van het antwoord was.

De uitkomst van het onderzoek was spectaculair: als de pijl voorafgaand aan de vraag bij een laag getal tot stilstand kwam, viel de schatting lager uit dan wanneer de pijl voorafgaand aan de vraag bij een hoog getal stopte. Men kon zien dat de beginstand niets te maken had met de vraag, toch waren schattingen sterk verankerd aan de gegeven beginwaarde.

Een dergelijke beschrijving van een proefopstelling lees ik als een gedicht. Wanneer ik aan het werk van Tversky en Kahneman denk, schieten mij onmiddellijk spectaculaire proefopstellingen te binnen. Hoe sterk de afwijkingen van de beginwaarden nu precies waren, kan mij weinig schelen: hun rad van avontuur leerde mij vooral, dat we bij het maken van snelle schattingen veel te sterk gebonden kunnen blijven aan irrelevante kenmerken van de situatie waarin we verkeren. De onderzoeker die mij hiervan wil verlossen, zal met een volgende proefopstelling moeten komen waarvan een sterke, beeldende kracht uitgaat.

Psychologie blijft toch vooral ook spelen met beelden, al kunnen we dat lang niet zo goed als andere verhalenvertellers.

Van Middle-earth naar Galilea en weer terug

Ron Pirson

"A man inherited a field in which was an accumulation of old stone, part of an older hall. Of the old stone some had already been used in building the house in which he actually lived, not far from the old house of his fathers. Of the rest he took some and built a tower. But his friends coming perceived at once (without troubling to climb the steps) that these stones had formerly belonged to a more ancient building. So they pushed the tower over, with no little labour, in order to look for hidden carvings and inscriptions, or to discover whence the man's distant forefathers had obtained their building material. Some suspecting a deposit of coal under the soil began to dig for it, and forgot even the stones. They all said 'This tower is most interesting.' But they also said (after pushing it over): 'What a muddle it is in!' And even the man's own descandants, who might have been expected to consider what he had been about, were heard to murmur: 'He is such an old fellow! Imagine using these old stones just to build a nonsensical tower! Why did not he restore the old tower? He had no sense of proportion.' But from the top of that tower the man had been able to look out upon the sea."[1]

'I cordially dislike allegory in all its manifestations' schreef Tolkien in het woord vooraf van *The Lord of the Rings*.[2] Ondanks die uitgesproken afkeer van allegorie heeft hij zich ook aan het genre bezondigd. De specialist in de Oudengelse taal- en letterkunde vertelde de parabel hierboven tijdens zijn baanbrekende lezing over het Angelsaksische gedicht Beowulf. Maar dat was ongeveer dertig jaar voordat hij bekendheid verwierf bij een groter publiek door de Amerikaanse paperbackuitgave van zijn epos. In de gelijkenis tekent hij een wellicht enigszins karikaturaal beeld van de stoffige geleerden die zich in zijn tijd met Beowulf bezighielden en aan de essentie van

---

1 J.R.R. Tolkien, "Beowulf, the Monsters and the Critics", Proceedings of the British Academy 22 (1936) 245-295, hier: 248-249.
2 Dat wil zeggen: in het woord vooraf vanaf de tweede editie uit 1966.

het gedicht voorbijgingen. Zij waren naar Tolkiens idee te zeer bezig met het speuren naar die delen en elementen in het gedicht die licht zouden kunnen werpen op de tijd waarin het gedicht was geschreven. Ook ging hun aandacht overwegend uit naar de genese van het gedicht: zij waren in de eerste plaats filologen. Zij hadden echter, aldus Tolkien, geen oog voor de monsters in het gedicht, Grendel en zijn moeder. Hen deden zij af als relicten uit een prechristelijke tijd, verhaalfiguren die de dichter had overgenomen uit de heidensgermaanse wereld, een samenleving die hijzelf ternauwernood achter zich had gelaten. Neen, het onderzoek was gericht op historie en traditie, zonder dat de onderzoekers zich bekommerden om de kwaliteiten van het gedicht zélf, of om de betekenis van Beowulf.

'Dit is een verhaal uit een ver verleden', waren Tolkiens eerste woorden die ik las. Ik kwam met zijn literaire werk in aanraking via een oom die, vanwege het relatief geringe leeftijdverschil van tien jaar, eerder een vriend dan een familielid was. Hij spoorde mij aan *De Hobbit* en *In de ban van de ring* te lezen. Het laatste boek was, zo zei hij, de bijbel van de hippies. Die hippietijd was de tijd waarin hij het boek voor het eerst gelezen had en de tijd van Tolkiens gestaag toenemende populariteit. Vanaf dat moment in 1978 ben ik verslingerd geraakt aan *The Lord of the Rings*; ik 'moet' het minstens eenmaal per twee jaar lezen.

Tolkiens verhaal over de Ring opende voor mij de wereld van de oude Europese literatuur, een universum waarvan ik als middelbare scholier nauwelijks weet had. Ja, Griekse en Romeinse klassieke teksten passeerden voor een deel de revue in het curriculum, maar de goden, draken en helden uit de Edda of het Nibelungenlied waren voor mij toen even onbekend als nu de sterrenstelsels, dichtbij en veraf. Naast de kennismaking met de mythologische teksten uit het heidense Noord-Europa, betekende de geschiedenis van de hobbits ook een terugkeer naar de oude joodse en christelijke boeken die ik enkele jaren voordien had dichtgeslagen.

Via allerlei wegen en omwegen, die hier niet uit de doeken gedaan hoeven worden, besloot ik in 1985 uiteindelijk theologie te gaan studeren. Een studie waarin taal, literatuur, geschiedenis en filosofie voor mij de spil vormen. Het was mij echter bij aanvang al zonneklaar dat ik mij zou gaan specialiseren op het terrein van de bijbelwetenschappen.

Vanaf de negentiende eeuw werd het onderzoek naar het Oude en Nieuwe Testament gedomineerd door een literair-historische benadering, wat wil zeggen dat de geschiedenis van en de geschiedenis achter de tekst voorop stond. Deze aanpak vond ik als eerstejaarsstudent buitengewoon fascinerend. Aan de hand van de bijbelteksten konden wetenschappers niet alleen de wereld waarin de tekst was ontstaan reconstrueren, neen, zij konden daarenboven ook nog eens aantonen hoe de geschriften zelf geworden waren tot de teksten die nu voor ons liggen. Aan dit laatste bleek een lang proces ten grondslag te liggen, waarin in verschillende tijden vele handen hun steentje hadden bijgedragen. Hoe is het anders te verklaren dat het scheppingsverhaal uit eerste hoofdstuk van de bijbel zoveel tegenspraken bevat vergeleken met het scheppingsverhaal waarover het tweede hoofdstuk verhaalt? Een voorbeeld: in Genesis 1 schept God de mens als laatste wezen van zijn creatie, terwijl Hij in Genesis 2 de mens als eerste maakt! Of, een voorbeeld uit een ander bijbelboek: waarom zou koning Saul op twee elkaar uitsluitende wijzen aan zijn einde komen als er niet minstens twee auteurs hun pen hebben gevoerd (vergelijk 1 Samuël 31 en 2 Samuël 1)?

Een van de mooiste resultaten van dit literair-historische onderzoek leerde ik in één van de colleges Nieuwe Testament. Dat was, om het zo te zeggen, waarlijk een openbaring. Het Nieuwe Testament telt vier evangeliën, waarvan de evangeliën van Matteüs en Lucas een bewerking en uitbreiding zijn van het oudste evangelie, dat van Marcus. Dat evangelie is geschreven rond het jaar zeventig na het begin van de jaartelling, dus ongeveer veertig jaar na Jezus' dood. In het evangelie van Marcus is het verhaal te lezen dat bekend staat onder de naam 'de storm op het meer'. De tekst is hieronder weergegeven, evenals de bewerkte versie van de evangelist Matteüs.[3]

---

3 Ik heb de tekst zó afgedrukt, dat de onderdelen die Marcus en Matteüs gemeenschappelijk hebben veelal naast elkaar staan geplaatst. Dat kan helaas niet overal (zie bijvoorbeeld het tweede deel van vers 26 bij Matteüs, dat eigenlijk zijn parallel vindt in vers 39 bij Marcus).

Marcus 4,35-41

35 Tegen de avond van die dag zei hij hun: 'Laten we naar de overkant gaan.'

36 Ze lieten de mensen achter en namen hem mee met de boot waarin hij zat; er waren nog andere boten bij. 37 En er stak een hevige storm op, en de golven sloegen over de boot, zodat die al vol liep. 38 Maar hij lag op de achterplecht op een kussen te slapen. Ze maakten hem wakker en zeiden: 'Meester, kan het u niet schelen dat wij vergaan?' 39 Hij stond op en bestrafte de wind en het water: 'Zwijg, wees stil!' En de wind ging liggen en het werd volkomen stil. 40 Hij zei tegen hen: 'Waarom zijn jullie bang? Hebben jullie nog geen vertrouwen?' 41 Ze werden door schrik bevangen, en ze zeiden tegen elkaar: 'Wie is dat toch, dat zelfs de wind en het water naar hem luisteren?'

Matteüs 8,18-27

18 Toen Jezus een menigte om zich heen zag, gaf hij opdracht om naar de overkant te gaan. 19 Een schriftgeleerde kwam naar hem toe en zei: 'Meester, ik zal u volgen waar u ook heen gaat.' 20 Jezus zei tegen hem: 'De vossen hebben een hol, en de vogels van de hemel een nest, maar de mensenzoon kan nergens het hoofd neerleggen.' 21 Iemand anders, een van zijn leerlingen, zei hem: 'Heer, sta me toe eerst mijn vader te gaan begraven.' 22 Maar Jezus zei hem: 'Volg mij, en laat de doden hun doden begraven.'
23 Toen hij aan boord ging, volgden zijn leerlingen hem.
24 Opeens werd de zee zo onstuimig dat de golven over de boot heen sloegen.
Hij sliep.
25 Ze maakten hem wakker en riepen:
'Heer, red ons, wij vergaan!'

26 Hij zei: 'Waarom zijn jullie bang, kleingelovigen?' Toen stond hij op en bestrafte wind en zee, en het werd volkomen stil. 27 De mensen stonden verbaasd en zeiden: 'Wat is dat toch voor iemand, dat zelfs de wind en de zee naar hem luisteren?'

Ik schreef hierboven dat het college werkelijk openbarend was. Dat kwam op de eerste plaats doordat blijkt dat het verhaal van Marcus in grote mate geïnspireerd is door, en gebaseerd is op, een hoofdstuk uit het oudtestamentische boek Jona. Aha, dat was interessant: geen geschiedenis dus in de evangeliën, maar vooral literaire verbeeldingen om Jezus te profileren. Precies wat ik zocht. Maar er was meer, veel meer – allerlei dingen die ik niet kon bevroeden.

In zijn bewerking van Marcus' tekst is goed te zien dat Matteüs een aantal elementen uit de tekst van Marcus heeft weggelaten. En dat terwijl de tekst uit Marcus al zo kort is – nog geen 150 woorden. Waarom zou Matteüs die tekstgedeelten niet hebben overgenomen? Van één stukje is de reden vrij snel duidelijk. Voordat Jezus in de boot stapt die hem en zijn leerlingen naar de overkant moet brengen, heeft Matteüs gesprekken ingevoegd die Jezus met twee personen voert. Tot één van beiden zegt Jezus dat de vossen holen hebben, maar dat de mensenzoon (waarmee hij zichzelf bedoelt) nergens zijn hoofd kan neerleggen. In de tekst van Marcus staat echter dat Jezus, wanneer hij eenmaal aan boord is, in slaap valt en op de achterplecht ligt te slapen, met zijn hoofd op een kussen! Het is duidelijk dat Matteüs na het ingevoegde gesprek deze zinsnede onmogelijk kan handhaven; dat zou te zeer een tegenspraak vormen met de uitspraak over de mensenzoon.

Een ander stukje tekst dat Matteüs niet overneemt, valt bij Marcus in het begin van het verhaaltje te lezen. De leerlingen nemen Jezus mee in de boot en dan staat er: 'er waren nog andere boten bij'.[4] Waarom heeft Matteüs dit weggelaten? Een redelijke verklaring is dat dit gegeven in de rest van het verhaal geen enkele rol speelt en bovendien een volslagen overbodig element is. Van de andere kant kun je je afvragen waarom Marcus de zinsnede over de andere bootjes dan wél heeft vermeld. Staat er misschien iets over andere boten te lezen in de tekst uit Jona waarvan Marcus gebruik heeft gemaakt bij het schrijven van zijn verhaal? Nee – in dat verhaal ont-

4 Wie de teksten vergelijkt, springen nog meer verschillen in het oog. Bij Marcus, bijvoorbeeld, nemen de leerlingen Jezus mee aan boord; bij Matteüs betreedt Jezus de boot als eerste – zijn leerlingen volgen hem (vergelijk de gesprekken die Jezus voert: ook zij gaan over het volgen van Jezus). Het motief 'volgen' speelt een grote rol in het evangelie van Matteüs – zijn theologie verschilt in vele opzichten van die van Marcus.

breken andere boten eveneens, en evenmin is er in het betreffende hoofdstuk sprake van iemand die op een kussen ligt te slapen. Hoe zijn deze beide gegevens dan in de tekst van Marcus verzeild geraakt? De verklaring die hiervoor wordt gegeven, is dat Marcus gebruik heeft gemaakt van een oude herinnering aan een gebeurtenis waarbij Jezus ooit het meer van Galilea is overgestoken. Tijdens die overtocht is hij in slaap gevallen (liggend op een kussen op de achterplecht), en bij die tocht over het meer waren diverse boten meer aanwezig. Op basis van dit kale, zo goed als niets of niet veel zeggende verhaal heeft Marcus zijn 'storm op het meer' gecomponeerd. Daarbij putte hij onder meer uit het oudtestamentische boek Jona om Jezus' tocht over het meer van Galilea deel te laten uitmaken van een reeks van wonderverhalen. Met die wonderverhalen probeert Marcus Jezus' speciale positie binnen Israël en zijn betekenis voor Israël duidelijk te maken. Als deze verklaring hout snijdt, dan zou daaruit blijken dat de evangeliën niet louter fictie zijn, maar ook herinneringen in zich dragen aan historische gebeurtenissen die nauwelijks nog te achterhalen zijn.

Het laatste kwart van de vorige eeuw valt er binnen de bijbelwetenschappen een nieuwe tendens te bespeuren. Het literair-historisch onderzoek is niet langer de enige en ook niet langer de dominante benadering van de bijbelse teksten. Het pleidooi van Tolkien in 1936 om aandacht te schenken aan de literaire kwaliteiten van Beowulf, lijkt ook bij bijbelwetenschappers gehoor te hebben gevonden – al is dat ongetwijfeld via andere kanalen gegaan dan via Tolkiens Beowulf-lezing. Vanaf het begin van de jaren tachtig verschijnen er steeds meer literair georiënteerde exegetische studies, waarbij men gebruik maakt van een veelheid aan methoden: close reading, reader-response criticism, deconstructionisme, feministische exegese en noem maar op. Het grote voordeel van deze nieuwe, op de teksten zélf gerichte, benaderingen is enerzijds dat de bijbelteksten niet meer 'gefileerd' worden en gereduceerd tot verschillende redactionele lagen[5], maar ook dat de lezer als lezend subject centraal is komen te staan. Terwijl er in de 'oudere' benaderingen, de literair-

5   Vergelijk in dit opzicht Gandalfs uitspraak tegen Saruman the White *in The Lord of the Rings*. De laatste draagt niet langer een wit kleed, maar een veelkleurig gewaad: hij heeft het witte licht gebroken, zodat hij nu als 'Saruman of

historische methoden, een grote (misschien wel te grote) fixatie was op feiten, op 'objectiviteit', realiseert men zich meer en meer dat zulke objectiviteit een onmogelijk iets is. Er is niet één geschiedenis of één waarheid. Nee, het interpreterende subject is van groot belang voor de resultaten van het literaire onderzoek. Gaat het in de literaire wetenschappen dan niet om waarheid? Wel degelijk, om minder gaat het zeker niet. Maar waarheid is nog niet 'dé waarheid'. Wat de hermeneutische wetenschappen hebben getoond is dat, ofschoon er telkens antwoorden op bepaalde vragen worden gegeven, die antwoorden al naar gelang de context kunnen verschillen. Ieder antwoord heeft derhalve een voorlopige status. Wat echter telt zijn de argumenten die ter bewijsvoering worden aangedragen en zo bijdragen aan het bloot leggen van waarheid.

De christelijke traditie heeft haar joodse wortels lange tijd veronachtzaamd. Het is evident dat dit voor de bijbelwetenschappen een groot gemis is geweest. Hadden exegeten meer oog gehad voor de joodse achtergronden van het Nieuwe Testament en voor de joodse schriftuitleg, dan was een eenzijdige fixatie op historische feiten en op 'objectiviteit' ongetwijfeld achterwege gebleven. Binnen de joodse traditie is er altijd meer flexibiliteit geweest ten aanzien van de betekenis van teksten, oftewel voor de relativiteit van het waarheidsgehalte van de teksten en hun interpretatie. Een fraai voorbeeld van een dergelijke flexibele omgang met heilige teksten (maar niet alleen met de teksten!) is de anekdote van honderd rabbijnen die met elkaar in discussie zijn over de interpretatie van een bijbeltekst. Eén van hen kent aan de tekst een betekenis toe die de anderen niet delen. Hij doet alles om hen ervan te overtuigen dat zijn interpretatie de beste is: ter ondersteuning van zijn mening veranderen bomen van plaats, stroomt een rivier de andere kant op en buigen de muren van de ruimte waarin zij zich bevinden, naar binnen. De negenennegentig laten zich echter niet vermurwen. Ten einde raad roept de rabbi God aan. Een stem uit de hemel zegt dat de uitleg die de rabbi geeft inderdaad correct is. Waarop de anderen

Many Colours' door het leven gaat. Gandalf antwoordt hem daarop: 'He that breaks a thing to find out what it is, has left the path of wisdom' (*The Lord of the Rings*, de luxe edition, London: Unwin Hyman 1990, 276).

antwoorden: 'Dat kan wel zo wezen, maar wij zijn de meerderheid, en wij beslissen wat de betekenis is van de tekst. Wij zullen de uitleg van de rabbi echter opschrijven en bewaren, want er kan een tijd komen dat zijn uitleg de juiste is'.

'The Road goes ever on' is een gedicht dat in verschillende vormen als een soort van rode draad door The Lord of the Rings loopt. Het gedicht staat niet enkel voor het voortdurend onderweg zijn van de hoofdpersonen. Het symbool van de 'Road' duidt eveneens op de onbekende verten en oorden die zij tijdens hun reis aandoen. Eenzelfde beeld is voor mij van toepassing op Tolkiens oeuvre. Door zijn werk te analyseren met behulp van bijbelwetenschappelijke onderzoeksmethoden, openen zich onbetreden terreinen en doemen onvoorziene perspectieven op – de weg voert almaar verder, 'and wither then? I cannot say.'

"La dure épreuve va finir",
Twijfels over al of niet gespleten werelden

Jan Jaap de Ruiter

Wie de moeite neemt een blik te slaan op de lijst van boeken en arti-kelen die ik als wetenschapper heb gepubliceerd, kan haast niet anders concluderen dan dat hij of zij te maken heeft met een dorre schrijver die met name in tabellen grossiert. Zo publiceerde ik samen met twee collega's in 1993 een boek over tweetaligheid onder Turk-se en Marokkaanse leerlingen in het basisonderwijs waarin niet min-der dan 255 tabellen voorkwamen (Aarts, de Ruiter & Verhoeven). Ook andere publicaties munten uit in veel gegevens en statistieken. Mijn hele wetenschappelijke oeuvre overziend, waarbij nogal wat artikelen dezelfde onderwerpen bespreken met telkens marginaal verschillende data, raak ik literair gesproken in elk geval niet opge-wonden. Nu hoeft dat laatste ook niet. Ik heb wetenschappelijke *output* nooit als maatstaf gezien voor mijn kunstzinnige, creatieve ontwikkeling. Ik ben tamelijk praktisch van aard. De Schepper heeft mij begiftigd met een goed stel hersens en daar verdien ik nu mijn brood mee. Dat ik recentelijk meer en meer excelleer in daken teren, muren witten en het repareren van elektrastoringen is eerder een kwestie van *nurture* dan van *nature*.

Op de vraag naar de relatie literatuur, levensbeschouwing en wetenschap, kan ik op het eerste gezicht nauwelijks iets zinnigs als antwoord geven. Maar, zo zullen de Jan Jaap de Ruiterkenners zeg-gen (het zullen er een stuk of drie zijn, waaronder natuurlijk mijn trouwste fan, mijn moeder): "je hebt in 2003 toch je eerste schreden gezet op het literaire pad?" Dat klopt. Ik publiceerde trots een ver-halenbundel getiteld *Welcome to the club en andere verhalen over poli-tiek, cultuur en religie*. Het boekje werd aardig ontvangen. Er stond een verplichte recensie in *Contrast*, kritisch multicultiblad, en het is inmiddels uitverkocht, niet vreemd voor een boek met een derge-lijke lage oplage (cijfers zijn in goede uitgevertraditie geheim). Ik zie die 'literaire' (aanhalingstekens van mij; het was volgens de achterflaptekst van mijn verhalenbundel immers een bescheiden debuut) kant van mij als behorende tot een heel andere wereld dan de wetenschappelijke. Dat blijkt al wel uit mijn eigen manier van omgaan met mijn verhalenbundel. Ik vond en vind hem, nu zonder bescheiden te zijn, steengoed en wie het niet met mij eens is wordt onverbiddelijk op de zwarte lijst gezet. Mijn houding ten opzichte van mijn wetenschappelijke critici is veel toegankelijker. Altijd een gewillig oor om te luisteren naar de op- en aanmerkingen op mijn werk ("weer een tabellenboek...") van mijn collega's en ideologische tegenstanders als Geert Driessen (rabiaat anti Onderwijs in Eigen Taal) en Jan Hoogland (inderdaad, de tabellencriticus), beiden uit Nijmegen. Wellicht reflecteert de manier waarop ik in elkaar steek ook de scheiding makende manier waarop ik tegen literatuur en wetenschap aankijk. Ik heb niet voor niets twee namen gekregen; ik heb de neiging mijn eigen wereld in tweeën te delen.

Het getuigt echter van een simpele, zo niet puberale kijk op de wereld, om alles in een voor en een tegen in te delen, om de wereld zwart en wit te houden. Jezus zei het al: *Wie niet voor mij is, is tegen mij*. Hier wreekt zich ongetwijfeld mijn protestantse achtergrond: het calvinisme dat aan de gelovigen een makkelijk te verteren wereldbeeld presenteert, en wie zich daaraan overgeeft hoeft zich verder ook nergens meer zorgen over te maken. Maar zo zit ik nu ook weer niet in elkaar. Laat ik u, als lezer, ter illustratie, deelgenoot maken van een levenservaring die ik theoretisch opdeed tijdens mijn studie Arabisch en islam en later, praktisch tijdens mijn verblijf als bursaalstudent in Egypte.

Binnen de islam is er een verschil tussen *baatin* en *zaahir*[1]. *Baatin* staat voor binnenkant en *zaahir* voor buitenkant. Dat geldt zowel de letterlijke als figuurlijke betekenis. *Baatin* kan alles zijn wat in je lichaam zit, het woord *batn* betekent 'maag' of 'buik', en *zaahir* is alles wat zichtbaar is aan de buitenkant van je lichaam. Het begrip *zaahir* speelt een belangrijke rol bij de vaag welke delen van een vrouw

---

1 Uitgesproken met een emfatische z; niet te verwarren met onze z die het Arabisch ook kent. Het woord zaahir met de 'Hollandse' z betekent 'schijnend, stralend'.

zaahir, onbedekt mogen blijven. Daarnaast is *baatin* ook je innerlijk, datgene wat zich in je gevoelens en geest afspeelt, gedachten die je niet uitdrukt. Doe je dat wel, dan worden ze *zaahir*, ze worden geuit en bekend onder gesprekspartners en in je omgeving. Naar wederom goede protestantse traditie zou er een zuivere relatie dienen te zijn tussen wat een mens denkt en voelt en wat hij uit. Het kan niet zo zijn dat wat eruit komt contrasteert met wat erin zit. Dat zou hypocriet zijn. Zo zijn vleierij en jaloezie uit den boze. Vleien doe je bij personen die je misschien helemaal niet aardig vindt. En aardig doen tegen personen waar je eigenlijk jaloers op bent, komt huichelachtig over. In de islam ligt een en ander anders. Daar mag, ja daar moet de *zaahir* soms in tegenspraak zijn met de *baatin*. Wees maar liever wel aardig voor de man of vrouw die je eigenlijk onaardig vindt of onaangenaam. Beter je eigen eer en die van een ander redden dan een scène te maken die schaamte kan veroorzaken. Want schaamte kan in de islam niet. Het kwam en komt mij nog steeds wat krom over en als je met moslims omgaat, merk je dat grote en merkwaardige contrast tussen *baatin* en *zaahir* maar al te vaak. Het stuit tegen de 'oprechte' protestantse borst.

Het kan echter nog veel 'erger'. In de islam zijn er stromingen die het principe van de *taqiyya* accepteren. *Taqiyya*, wat zoiets als 'verbergen' betekent, impliceert dat een moslim zijn geloof mag verloochenen als hij verblijft in de *Dar al Harb* oftewel het 'Huis van de Oorlog', oftewel het gebied dat niet onder moslimheerschappij staat, zoals Nederland. Desgevraagd kan de moslim, om zich tegen onheil te beschermen, dan zeggen dat hij geen moslim is. In de ogen van de protestant is dat het ultieme verraad aan zichzelf. Een protestant zal zich nog liever de tong afbijten dan zijn Heer Jezus Christus te verloochenen.

Ik dwaal echter af. Wat was de les die ik leerde uit het college islam van indertijd en mijn talloze reizen naar Egypte en Marokko later? Zwart en wit worden door andere mensen als heel anders gepercipieerd dan door mijzelf. Moslims confronterend met hun naar mijn oordeel huichelachtige "non-contrast" tussen hun zwart en wit levert verontwaardiging op. Hun zwart is volgens hen even zwart als mijn zwart zwart is. Zij maken op hun beurt ernstig bezwaar tegen de pijnlijke, want schaamte oproepende, directheid van mijn leefwereld. Misschien had ik het met het klimmen der jaren op een andere manier ook wel geleerd: dat de zo makkelijke en aangename strikte scheiding tussen zwart en wit op den duur onwerkbaar is en al houd ik mijzelf voor dat ook ik in twee werelden leef, de zaken helder en klaar analyseer, misschien moet ik bij nadere introspectie vaststellen dat de scheiding tussen zwart en wit, de scheiding tussen literatuur en wetenschap, en daar gaat het in deze bijdrage om, in mijn leven niet zo sterk is als hij lijkt en als ik in het begin van deze bijdrage beschreven heb.

Een aanwijzing voor dit laatste is al te vinden in mijn proefschrift, mijn eerste proeve van wetenschappelijke arbeid. Ik schreef een proefschrift over de complexe taalsituatie van Marokkanen in Nederland. Indertijd, in 1989, was ik zo ongeveer de eerste die zich daaraan waagde. Tot dan toe waren het vooral Turken geweest waarvan het taalprofiel werd beschreven. Bij Turken had je lekker makkelijk te maken met twee talen: Turks en Nederlands maar bij Marokkanen had je altijd die ingewikkelde constellatie van Berbers, Marokkaans-Arabische dialecten, Standaard Arabisch, Frans, Spaans en Nederlands. Voor mij dus een uitdaging en deze uitdaging werd nog versterkt door het feit dat ik geschoold was als klassiek arabist. Wat wist ik van moderne taalkunde? Mijn doctoraalscriptie ging over een tekst van een dertiende-eeuwse wetenschapper en schrijver, Zakariya al Qazwini (1200-1283). De tekst handelde over de embryologie van de mens en ik heb de tekst in de Grieks-filosofische traditie geplaatst. En daar stond ik dan voor de taak een kwantitatief en kwalitatief taalkundig onderzoek uit te voeren naar Marokkaanse jongeren en kinderen waarbij gebruik gemaakt moest worden van statistiek, een vak dat ik nooit gehad had in mijn doctoraalspecialisatie 'Arabische wetenschapsgeschiedenis'. Het was een zware opgave maar ik volbracht haar en toen ik het proefschrift publiceerde is het wellicht niet voor niets dat ik er een citaat in heb opgenomen van de Franse dichter Paul Verlaine:

La dure épreuve va finir:
Mon cœur, souris à l=avenir.

Het citaat is afkomstig uit gedicht XI uit de serie 'La bonne chanson'. Ik wil het de lezer niet onthouden:

La dure épreuve va finir:
Mon cœur, souris à l=avenir.

Ils sont passés, les jours d=alarmes
Ou j=étais triste jusqu=aux larmes

Ne suppute plus les instants,
Mon âme, encore un peu de temps.

J=ai tu les paroles amères
Et banni les sombres chimères.

Mes yeux exilés de la voir
De par un douloureux devoir,

Mon oreille avide d=entendre
Les notes d=or de sa voix tendre.

Tout mon être et tout mon amour
Acclament le bienheureux jour

Où, seul rêve et seule pensée,
me reviendra la fiancée.

Het gedicht trof ik aan in een lesboekje Franse poëzie dat ik op zijn beurt weer gevonden had in een boekenstalletje in de oude stad van Cairo. Voorin het boekje heb ik de vinddatum van 12 december 1981 vermeld (ik was toen 22 jaar oud en verbleef, zoals boven al vermeld, als bursaal een jaar aan de Universiteit van Giza). Het boekje trok mijn aandacht omdat het poëzie was, omdat het Frans was en omdat het Verlaine was van wie ik inmiddels te weten was gekomen dat hij een stormachtige vriendschap had gehad met Arthur Rimbaud: een vriendschap waarvan de ware aard altijd in nevelen gehuld is gebleven. Dat laatste fascineerde mij, met name omdat ik, moederziel alleen als ik was in Egypte en aan de wolven overgeleverd met al die fraaie beetpakkerige jongens, worstelde met mijn seksuele identiteit, een gebied waar de protestantse traditie weinig ruimte toelaat, een gebied waar zwart fout, en wit goed is. De wetenschap dat enerzijds Verlaine en Rimbaud iets 'moois' deelden en anderzijds de persoon op wie het gedicht gericht was – op het laatste moment, in de laatste strofe – gelukkig, vrouwelijk, want "wit" van aard was, raakte mij zeer. Je kunt blijkbaar mooie mannenvriendschappen hebben en toch vrouwen adoreren. Deze levenservaring paste wel een beetje bij het islamitische *baatin-zaahir* fenomeen. Blijkbaar sluit het een het ander niet uit.

Het thema van deze bundel overdenkend, kwam ik, zoals ik boven al beschreef, in eerste instantie tot de conclusie dat wetenschap en literatuur in mijn leven en werk gescheiden werelden zijn. Echter, erover dóordenkend, lijkt de scheiding niet zo sterk te zijn, en dat geldt dan niet alleen mijn, laten we het noemen, geschreven werk, maar wellicht ook mijn eigen geslachtelijke dispositie. Opmerkelijk genoeg is er nog een voorbeeld dat tegen de scheiding wetenschap en literatuur en vóór mijn persoonlijke gespletenheid pleit. Ik zal de lezer dit voorbeeld niet onthouden al was het maar omdat het het citeren van wederom een mooi gedicht noodzakelijk maakt.

In het najaar van 1996 was ik uitgenodigd voor een conferentie over "traducción, emigración y culturas" georganiseerd door de *Escuela de Traductores* in Toledo, Spanje. Toledo is voor elke arabist en multiculturalist een must. Immers, de stad is sterk beïnvloed door de 'Moren', de sporen van hun bouwkunst zijn overal aanwezig en tegelijkertijd staat het Moorse Spanje symbool, niet altijd terecht overigens, voor een harmonieuze samenleving tussen christenen, joden en moslims. Aangezien de *Escuela* met name tolken en vertalers opleidt in het Castiliaans en Arabisch (zeg nooit ¿Hables español? tegen een Spanjaard, ze spreken allemaal "castellano") besloot ik om mijn voordracht, die onveranderlijk weer ging over etnische groepen, met name Marokkanen in Nederland, in het Arabisch te houden. Ik deed dat als enige Europeaan, niet gespeend van enig gevoel van eerzucht en ambitie. En succes had ik. Ik zeg het wel eens meer: ik kan niet veel, maar ik heb leuke talenhersens, ik spreek een aardig mondje Arabisch. Lof en prijs waren mijn roem en de Algerijnse moslimfilosoof Mohamed Arkoun, ook aanwezig, noemde mij, naar ik mij herinner, de exacte term is mij ontschoten, een voorbeeld van "intégration créative" zonder overigens duidelijk te maken wat hij daar precies mee bedoelde. Maar trots was ik er op.

Wie aan Spanje en ook Marokko maar ook aan Egypte denkt, landen die ik alle beroepshalve en als toerist heb bezocht, denkt onveranderlijk en naïef aan lekker weer en zon. Vaak is dat ook het geval maar als de zon in die landen niet schijnt, de hotels niet of nauwelijks verwarmd worden en het eventueel ook nog gaat regenen, dan wordt er kou geleden. Toledo was geen uitzondering op deze regel. De hemel was constant bedekt met grijze wolken, het avondprogramma ving, zoals te doen gebruikelijk in Spanje, aan om 17.30 in koude, sombere gebouwen. Dan is om 23.00 uur aanschuiven aan het avonddiner nauwelijks een troost meer. Wederom zou echter de poëzie verlichting gaan geven. Tijdens de conferentie kreeg ik een exemplaar aangeboden van een dichtbundel van Salah Niyazi, een Iraakse dichter die in ballingschap in Engeland woonde. Ik nam het boekje welwillend aan en legde het bij mijn bagage. De nacht voor mijn vertrek naar Nederland zou ik in Madrid doorbrengen en ik was voornemens een heel goed hotel te nemen, met een warm bad en een zalig bed, na alle doorstane kou in Toledo: het hotel in Toledo muntte ook niet uit in comfort en warmte. Tevens voelde ik mij bevrijd van de ketens van de conferentie en nam mij voor het Madrileens nachtleven in te duiken. Mijn seksuele identiteit stond, zo meende ik, inmiddels vast en het was derhalve helder welke uitgaansgelegenheden ik zou gaan bezoeken.

Dat van dat mooie en luxe hotel lukte maar dat van dat uitgaan liep hopeloos mis. Ik ontdekte wel de *hotspots* maar deze openden alle laat in de nacht en leken pas na twee uur 's morgens echt van leven te gaan bruisen: en dat met een vliegtuig dat vroeg vertrekt. Het was troosteloos in de Madrileense binnenstad en omdat ook mijn eenzame ziel zijn grenzen kent, ik ga niet tot het uiterste, trok ik mij in mijn hotelkamer terug. Ik nam dat bad, legde mij in dat zalig grote comfortabele bed en dat was het dan, de wetenschapper die de wilde nachten van Madrid in zou duiken. Ik rommelde wat in mijn bagage op zoek naar wat leesvoer. Ik trof naast de congrespapieren de gedichtenbundel van mijn Irakese vriend aan. Bij gebrek aan beter bladerde ik erin. Het waren gedichten, meest van het prozatype; mooie woorden, mooie beelden maar weinig stijl. Tot ik wat nader ging lezen. Ongemerkt vergat ik tijd en plaats en ik stelde mij het beeld voor dat de dichter opriep in het volgende gedicht (door mij in het Nederlands vertaald), getiteld 'Een Europees meisje'.

De Spaanse kok braadde het vlees
En keek naar haar met wisselende blikken
Als een vogel die verspreide zaadjes oppikt
De rook steeg omhoog en bedekte zijn warme gezicht
Hij draaide het vlees, met twee handen die een eigen conversatie hielden
Het meisje keek hem aan en verlangde een stukje
Haar hand danste onwillekeurig terwijl ze van haar glas wijn nam
Haar lippen waren gevuld met verwachting; ze ging verzitten

De kok diende het voedsel op
Hij liep heen en weer tussen de tafels als over paden in een park

Hij nam een ander rauw stukje vlees
Het bloed siste en vatte vlam
Lang keek hij haar aan tussen de rook
Maar deze keer zette hij een tent voor twee neer op het strand
Zijn handen dansten terwijl hij het vlees draaide
Het meisje keek hem aan met aandachtige nieuwsgierigheid en rijpe
vrouwelijkheid

De tent was klein en er waren maar weinig lantaarns
Het zand kietelde haar en ze lachte met heel haar lichaam
De zee was donker en de vissers half naakt
De sterren likten zich de lippen alsof ze aan het fluisteren waren

De ochtendmist bedekte hen beiden
Ze strekte zich uit, en toen verlangde ze nog een stukje

De interactie tussen de Spaanse kok en het nippende, licht bewe-
gende meisje is fascinerend, *captivant* zoals de Fransen zeggen. Ik
vond en vind nog steeds dat er een waanzinnige erotiek uit het
gedicht spreekt. Het Arabisch draagt daar overigens sterk aan bij.
Die taal verhoogt van nature de spanning in de tekst; enerzijds zo
droog, anderzijds zo vol betekenissen. Bij uitstek een taal voor poëzie. Ik las het gedicht meer dan één keer en telkens weer was ik onder
de indruk. De blik van de Spaanse kok die je niet ontlopen kon; het
verlangen van het meisje naar het vlees; de naakte vissers op de zee;
de mist die een deken legt op wat er gaat gebeuren als het meisje te

kennen geeft nog een stukje van het vlees te verlangen. Zocht ik bevrediging in dat eenzame hotel? Ik had het gekregen. De wetenschapper werd in slaap gesust door de literatuur. Zoals gezegd, geeft het lezen van dit gedicht mij tot op de dag van vandaag aangename gevoelens van voldoening. Dat laatste verbaast mij evenwel toch ook weer. Het gedicht handelt over de erotische spanning tussen een man en een vrouw, eigenlijk net als het gedicht van Verlaine, een gedicht dat minder erotisch is maar toch zeker ook een smachtend verlangen van de dichter naar "la fiancée" uitdrukt. Steeds sterker wordt mijn observatie dat mijn zwart-wit houding nauwelijks te handhaven is. Zowel zwart als wit krijgt in mijn leven allerlei grijstinten of toch niet?

Ik weet het niet. De neiging naar menging van wetenschap en literatuur, als die er al was, lijkt zich in mijn schrijversactiviteiten namelijk niet door te zetten. Exemplarisch vind ik de recente publicatie van een studie van mijn hand en twee van mijn collega's in Frankrijk. Met die Franse wetenschappers, beroemd om hun oeverloze, filosofisch getinte betogen, publiceerde ik een heel on-Frans boek met veel, heel veel tabellen: volgens mij meer dan 200, ik heb ze maar niet meer geteld[2]. Moedeloos word ik er van. Lees je dat boek, dan is de inhoud wetenschappelijk gesproken best interessant maar ook oersaai. Een andere recente ontwikkeling is die van de vertaling naar het Nederlands van Arabische poëzie. In 2003 werd ik door het Fonds voor de Letteren gevraagd een keuze uit het oeuvre van een aanstormende Jemenitische dichter van het Arabisch in het Nederlands te vertalen[3]. Op zich ervoer ik dat als een grote uitdaging: ik moest immers zorg dragen voor een minstens zo literaire vertaling als de gedichten literair zijn. Volgens wederom mijn eigen zeggen mag het resultaat er wezen. De vertaling resoneert goed maar het is en blijft literatuur van een ander, niet van mijzelf. Het levert naar mijn gevoel geen significante versterking op van mijn eigen literaire *output*, om maar eens een term uit de statistiek te gebruiken.

2   Akinci, M.-A, J.J. de Ruiter & F. Sanagustin, (2003). *Le plurilinguisme à Lyon. Le statut des langues à la maison et à l'école.* Paris: l'Harmattan.
3   Hassan, M. (2003). *Mogib Hassan. Een nieuwe en gewaagde weg in de moderne Arabische poëzie; introductiecahier; in vertaling en met inleiding van Jan Jaap de Ruiter.* Amsterdam: Fonds voor de Letteren.

Derhalve, en een en ander wederom overziend, keer ik terug naar de overtuiging van mijn *roots*, ik zie slechts heel smalle banden tussen mijn wetenschap en mijn 'literatuur' (ik blijf bescheiden) en wellicht is er ook geen sprake van een gespleten geslachtelijke persoonlijkheid. Dat stemt mij droef. Het roept in mij een 'omne animal post coitum triste'[4] gevoel op. Ik ben een dorre schrijver en een monoseksueel mens, die, in arren moede, verlichting verkrijgt door het lezen van *andermans* literair werk. Bijvoorbeeld het volgende gedicht dat ik, al sinds jaar en dag, graag mag lezen of opzeggen als ik de laatste hand gelegd heb aan een manuscript of artikel. Een gedicht waarin tenslotte ook weer mijn oorspronkelijke religieuze achtergrond naar voren komt. *Quia absurdum* van Gerard Reve:

Je boek is af, je drinkt niet meer, je hebt je rijbewijs: wat wil je verder nog voor Godsbewijs?

---

4 Het volledig citaat luidt : 'omne animal post coitum triste, praeter gallum qui cantat', oftewel: na de coïtus is elk dier terneergeslagen, behalve de haan die kraait (uit Aristoteles, Probl. XXXI, 1 (' 954; met dank aan de 'grote' Van Dale). Ik deel helaas in geen enkel opzicht de gevoelens van euforie zoals uitgedrukt in het hanengekraai.

Literatuur en de schaduw van de beslissing

Carinne Elion-Valter

Van literatuur wordt wel gezegd dat zij een 'vision oblique' biedt op de (juridische) werkelijkheid. Maar in welk opzicht is die literaire blik scheef? En wat ziet zij dan?

Weggaan

'Lorsque les jours sont longs en mai /m'est beau le doux chant d'oiseaux de loin et quand je me suis éloigné de là/ je me souviens d'un amour de loin'

Het zijn de eerste verzen van een twaalfde-eeuws gedicht. Het gaat niet over recht, maar het zegt daar wel iets over. Hoe zit dat? Troubadour Jaufré Rudel, afkomstig uit het zuidwesten van Frankrijk, bezingt in dit gedicht zijn verlangen naar zijn geliefde in het 'verre' Oosten. Naar goed troubadourgebruik is zij onbereikbaar, is het verlangen onrealiseerbaar. Maar de legende gaat dat deze troubadour rond het jaar 1147 daadwerkelijk naar zijn 'princesse lointaine' in het Tripoli in de Libanon reisde. Helaas overleefde hij de overzeese tocht maar nauwelijks en stierf hij in haar armen. De Frans-Libanese schrijver Amin Maalouf bewerkte dit verhaal tot een libretto voor een opera, L'amour de loin (muziek Kaija Saariaho[1]).

Het libretto heeft een rijk geschakeerde thematiek: verhouding tot een onbereikbare God, kruistocht, macht van de poëzie, heimwee.... Mij toont het verhaal hoezeer de troubadour met het daadwerkelijk nareizen van zijn verlangen zijn hele bestaan in de waagschaal stelde. Zijn bestaan als dichter: de reis ondermijnde de voorwaarde voor zijn kunst van het verlangen – afstand – en vormde daarmee ook een breuk met een poëtische traditie. Zijn bestaan in een sociaal verband: de tocht in den vreemde en naar de Ander betekende de verbreking van de banden met de groep getrouwe zangmakkers. En tenslotte offerde de dichter voor zijn reis zijn

---

1 Grasset, Paris 2001, de opera werd opgevoerd op het festival Salzburg in 2000.

bestaan op van iemand die ergens voor zorgt, iets in stand houdt. Rudel laat met zijn vertrek naar het Oosten eigen land en eigen mensen wegzinken in de duisternis van het Avondland.

Met zijn keuze voor het ene stelde de troubadour het andere achterop. Dat klinkt logisch: door een keuze vallen zaken af. Degenen die in het recht finale beslissingen moeten nemen, herkennen daar wellicht iets in. Een verhaal of gedicht gaat soms wel op een bijzondere wijze met een dergelijke situatie om. Zo deze regels van Rutger Kopland:

'Weggaan kun je beschrijven
als een soort van blijven. Niemand
wacht want je bent er nog.'[2]

Misschien ligt het aan het teveel lezen van Kopland en andere troubadours, maar mij schijnt het toe dat literatuur iets kan wat het recht niet kan: op gelijktijdige wijze facetten tonen die in het gewone leven onverenigbaar lijken. Wellicht dat literatuur zo een licht kan werpen op de gevolgen van juridische beslissingen waarin nu juist een scheiding der wegen wordt bewerkstelligd.

Wat kan degene of de instantie die beslissingen in rechte neemt (wetgever, rechter, kortheidshalve even aan te duiden als 'rechtsbeslisser') daarmee? Ofwel: wat zou, wat dit beslissingsaspect van het recht aangaat, de relevantie kunnen zijn van het lezen van literatuur?

Recht en Literatuur
Eerst iets in het algemeen over de verhouding tussen literatuur en recht. Literatuur is slechts in een aantal gevallen voorwerp van recht (auteursrecht, strafrechtelijke bepalingen omtrent discriminatie en belediging, vrijheid van meningsuiting en informatievergaring). Maar zij kan relevant zijn voor het denken over recht en de wijze waarop dat beoefend wordt. Dat is althans de claim van het 'vak' Recht en Literatuur. Het is een claim die zowel juristen als letterkundigen in de gordijnen zou kunnen jagen, op grond van de veronderstelde

2   Uit: 'het orgeltje van yesterday', opgenomen in de bundel: *Geluk is gevaarlijk*, Rainbow pocket, p. 36.

andersheid van beide 'disciplines': literatuur is geen jurisprudentie en wil/kan dat ook niet zijn. En als er nog enige maatstaf is voor artisticiteit en originaliteit, dan bungelt het recht onderaan. Maar deze run op de gordijnen berust op ietwat overhaaste conclusies. Literatuur staat niet gelijk aan het verzinnen van verhalen. Rechtspraak is niet alleen maar een kwestie van jurisprudentie maken door een geval onder een regel te brengen, en recht maken is niet alleen een kwestie van abstracties schrijven.

Recht doen, in concreto door de rechter, in abstracto door de wetgever, is (zonder pretentie van definitie) een proces van het vormen en bij elkaar brengen van (mogelijk) geval en regel, feit en norm, in onderlinge wisselwerking. De constellatie van feiten kleurt de interpretatie van de norm en deze interpretatie beïnvloedt het standpunt van waaruit men de feiten bekijkt. Daar komt nog bij dat vele normen uit het hedendaagse geschreven recht zogenaamd 'open' normen zijn, opgesteld voor een 'open' collectie van feiten. Bijvoorbeeld (en ik houd mij bij het civiele recht): redelijkheid en billijkheid, misbruik van recht, getrouwheid, hulp en bijstand aan de (huwelijks)partner. Invulling en toepassing van deze normen worden aan de rechter overgelaten die daarbij rekening houdt met de maatschappelijke opvattingen.

Recht als Literatuur en Recht in Literatuur

Deze visie op wat recht is, wat recht doen inhoudt, levert meteen een eerste pijler onder de claim van Recht en Literatuur. Voor zover rechtsvorming en rechtsvinding te beschouwen zijn als een hermeneutisch proces, is recht *als* literatuur. Het gaat bij deze benadering vooral om de methodiek van rechtsvinding en rechtstoepassing. De rechtswetenschap maakt dan gebruik van inzichten die zijn ontwikkeld in onder meer de literatuurwetenschap. Op wetenschappelijk niveau zijn nog wel meer dwarsverbanden te leggen: retorisch, narratologisch, ideologisch of naar intellectuele geschiedenis.

Maar, tweede pijler, er zijn ook argumenten voor de stelling dat literatuur als zodanig relevant is voor het recht. Er schuilt recht *in* literatuur. Vele verhalen en gedichten bevatten visies op het rechtsbedrijf. Kennisname van de vaak negatieve kenschetsen kan de jurist aan het denken zetten over zijn beroepsuitoefening. Hij kan, als hij halt houdt bij gelijkenissen, er ook zijn schouders over ophalen. In werkelijkheid ligt het natuurlijk toch echt anders en is de notaris geen vergulde vingerkom (Du Perron, *Het land van herkomst*). En als het beeld eens positief is (Ter Braaks dorpsnotaris als embleem van de fatsoenlijke mens, zie *Politicus zonder partij*), dan klopt dat ook wel eens niet. Een andere benadering van Recht in Literatuur beschouwt literatuur als morele inspiratiebron voor het rechtsdenken zelf ('Poethics'). In dat kader werkt een gelijkenis misschien wel aansprekend, maar is het niet noodzakelijk. Uiteindelijk gaat het recht niet over het recht, maar over verhoudingen tussen mensen.

Zelf zou ik de relevantie van literatuur voor het recht niet zozeer willen zoeken in een gelijkenis op het niveau van plot en personages, maar veeleer in hun gelijkaardige oriëntatie op het duiden van relaties tussen mensen onderling en tussen de mens en de wereld om hem heen. Literatuur zou de jurist kunnen herinneren aan – of kunnen inspireren tot – het stellen van de vraag naar datgene waar het in het recht uiteindelijk om gaat. Zodoende zouden wellicht ondergeschoven, weggeredeneerde of onvermoede aspecten naar voren kunnen treden. Naar vorm en insteek (prescriptief versus onder anderen verhalend, lyrisch, episch, tragisch, komisch, satirisch etc.) zijn de 'ondernemingen' onderling totaal verschillend. Juist in dit verschil in uitwerking van een gelijkaardige oriëntatie kan naar mijn mening de waarde liggen van verhalen en gedichten voor een jurist.

Op deze plaats gaat het mij vooral om het prescriptieve karakter van het recht en de vraag wat, vanuit dat kader bezien, de specifieke rol is die literatuur kan spelen.

Dwingend en noodzakelijk recht
Het recht is prescriptief. Het stelt normen en deze moeten worden nagekomen. Maar daarnaast is het stellen van die normen zelf ook iets wat moet gebeuren. Er moet beslist worden: indien daarom gevraagd moet de rechter rechtspreken en de wetgever recht-schrijven. De rechtsbeslissing draagt een trek van noodzakelijkheid. Dat kenmerk noopt tot het overdenken van de consequenties van zo'n beslissing. Ik doe dat aan de hand van het erfrecht dat, waar het preludeert op het Eindpunt, wel een beetje lijkt op literatuur.

Als er één onafwendbaar moment is in een mensenleven, waarop juridisch ingrijpen noodzakelijk wordt bevonden, dan is dat wel de dood. Voor het geval een erflater zelf geen maatregelen heeft getroffen terzake van zijn vermogen, moet de wetgever dat doen. In 2003 kreeg Nederland nieuw erfrecht met als voornaamste kenmerk een revolutionaire verbetering van het erfrecht van de langstlevende echtgenoot. Het erfrecht veranderde daarmee van oriëntatie. Van oudsher was het sterk op de instandhouding van het vermogen gericht ten dienste van de familie (bloedverwantschap). Die gedachte is niet geheel losgelaten. Maar het nieuwe uitgangspunt werd toch om tegemoet te komen aan de wens van vele erflaters om degene met wie zij voor kortere of langere tijd 'lotsverbonden' waren geweest, verzorgd achter te laten. Dat is een kwestie van inkomensvoorziening op basis van een persoonlijke keuze. De erflater wil kiezen; de wetgever moet kiezen.

Met deze nieuwe regeling sluit het erfrecht aan op een veranderde maatschappelijke mentaliteit ten aanzien van familie, vermogen en gezin die ook in andere delen van het familierecht hun neerslag heeft gevonden (naamrecht, afstamming, huwelijksrecht). Er zijn op dat gebied heel wat veranderingen, maar een ervan heeft wel te maken met de verschuiving van het accent van collectiviteit (familie) naar individu.

Accentverschuiving

Welke voorstelling zouden we ons van zo'n accentverschuiving in het recht, van zo'n juridische mentaliteitsverandering, kunnen maken? Voordat ik verder ga, deze opmerking. Het maken van voorstellingen is een kunstgreep, een toepassing van een literaire methode van waarheidsvinding. Via het bijzondere wordt getracht een algemene(re) waarheid op het spoor te komen. Met het 'exemplariseren' langs de weg van een metafoor kan de jurist het recht voor zichzelf proberen begrijpelijk te maken. Daarnaast zou deze literaire vertaalslag ook het middel kunnen zijn om een brug slaan naar literatuur om van daaruit, onder medeneming van nieuwe inzichten, terug te keren naar het recht.

Het gaat er dus om, een voorstelling te maken van accentverschuivingen bij de rechtsvorming. Ik begin bij de wetgever. Ik zou daarbij voorop willen stellen dat deze werkt in een kader van bestaande wetgeving en rechtspraak en dat de gewenste veranderingen worden geformuleerd ten opzichte van het bestaande recht. Een wetgever kan geen tabula rasa maken. Bezien vanuit dit in die zin geslo-ten rechtssysteem, is een wetswijziging relatief, gaat het om een ver-schuiving.

Maar wat verschuift er nu? Het standpunt van waaruit naar ver-schijnselen als collectiviteit en individu wordt gekeken, of die ver-schijnselen zelf? Alleen het eerste lijkt mij; de inhoudelijke veran-dering komt daarna. De wetgever stelt zich, althans dat probeert hij, op het standpunt van waaruit in de samenleving naar de configura-tie van collectiviteit (familie) en individu wordt gekeken. Dat nieu-we standpunt honoreert het individu met de meeste belangstelling. Het individu staat in het volle licht. Diens belangen worden nauw-keurig geformuleerd en afgebakend.

Hoe is dan, vanaf dat standpunt bekeken de positie van de col-lectiviteit familie? Ik zou zeggen dat die in de schaduw van het indi-vidu is komen te staan. Onder het oude recht was de situatie eerder andersom. Juridisch betekent dit dat de belangen van de familie wor-den vormgegeven in relatie tot die van het individu.

Nu is dit allemaal niet nieuw, het werken met uitgangspunten, standpunten, invalshoeken en buitengeslotenen. Maar het is in dit verband verhelderend om op het juridische spraakgebruik te wij-zen. Een jurist, en niet alleen hij, zou in een geval als dit geneigd zijn te spreken over de belangen van de familie in het licht van die van het individu. Ik zou menen dat die uitdrukking begrepen moet wor-den als 'in de schaduw van'. Verschijnselen geven geen licht. Ver-schijnselen staan in het licht dat wij daarover laten schijnen, daarbij andere verschijnselen overschaduwend. Onzichtbaar zijn die laatste daardoor niet. Ze hebben minder kleur, tekenen zich minder scherp af. Dat zou, wat ik maar noem, de schaduwwerking van een rechts-beslissing zijn. Een dergelijke zienswijze op de gevolgen van beslis-singen kan ook worden doorgetrokken naar de totstandkoming van beslissingen. Daarover hieronder.

Tastenderwijs trancheren
Het recht definieert verhoudingen, maar het definieert ook in ver-houding, relatief. Het kiest daarbij wel. Het recht moet ook kiezen. De nieuwe wet moet er komen; de rechter moet vonnis wijzen. En de rechtsbeslisser – in abstracto (de wetgever) of in concrete zaken (de rechter) – kan niet aan alle belangen gelijkelijk recht doen. Hij

opereert in een wereld van schaarste, anders was er geen conflict. Het 'suum cuique tribuere', ieder het zijne te geven, wordt niet per geïsoleerde partijpositie toegepast, doch met inachtneming van beide posities in wisselwerking, met dien verstande dat dit geschiedt vanuit een bepaald standpunt. Als de weegschaal doorslaat, moet het zwaard klieven, maar de weegschaal is geijkt naar de op een bepaald moment geldende eenheid.

Ook dit trancherende karakter van recht maken of recht doen, weerspiegelt zich in het juridisch spraakgebruik. Immers bij belangrijke koerswijzigingen van ons hoogste rechtscollege spreken juristen van 'omgaan'. De geschiedenis van het nieuwe erfrecht levert een sprekend voorbeeld. In het zogenaamde Visser-Harmsarrest uit 1945 erkende de Hoge Raad de, zoals dat heet, natuurlijke verbintenis tot het voorzien in de verzorging van de langstlevende. Een dergelijke verbintenis berust op algemeen gangbare opvattingen van moraal en fatsoen. De erkenning ervan vond plaats onder verwijzing naar diverse maatschappelijke omstandigheden.

Terugdenkend aan de voorstelling van verandering van maatschappelijke en juridische opvattingen als een spel van licht en schaduw, zien we hoe dit noodzakelijke rechterlijke trancheren volgt op een tasten in het duister. Bij het nemen van zo'n omslagbewerkende beslissing moet de rechter visies die bij de officiële 'doctrine' in de schaduw staan opdiepen en herwaarderen. Als definiërende activiteit, als beslissing, is het ook zelf weer een standpuntverandering die nieuwe schaduwen teweegbrengt.

Schaduwen zijn een fascinerend fenomeen. Ze kunnen ons een rad voor ogen draaien, een vertekening van de werkelijkheid geven die tegelijk een satire is. Ze kunnen ons ook, als we er oog voor hebben gekregen, veel vertellen over het positief, maar niet als antithese. Ze fungeren niet als ontkenning, maar eerder als fundament, zoals in de schilderkunst een afbeelding zonder schaduw geen diepte heeft, zijn plaats niet heeft, niet gefundeerd is in een samenhangend geheel. Schaduwen maken aspecten van dingen zichtbaar die wij niet zouden zien als wij die schaduwen niet zouden zien. Hieronder wil ik bekijken wat de literaire invalshoek in dit opzicht kan betekenen voor het recht.

Literaire vision oblique

Welke mogelijke eigenschappen heeft literatuur waarmee zij de juridische lezer kan 'helpen' om te zien in de duisternis waarin hij zijn beslissingen moet nemen en om de reikwijdte te doorzien van zijn beslissing, met name de nieuwe schaduwen daarvan? Omdat het een verkenning betreft ga ik sprongsgewijze te werk in het besef dat ik over ijsschotsen ga. Ik haak aan bij het verhaal over Jaufré Rudel.

Bij lezing van het libretto van Maalouf valt ten eerste het niet-prescriptieve karakter op. Maaloufs libretto is wellicht normstellend, in de zin van richtinggevend voor toekomstige schrijvers, maar het is daarin niet dwingend. Naar de lezer toe kan het verhaal in zijn visie op bijvoorbeeld dilemma's die samenhangen met het achterna reizen van het verlangen wel dwingend zijn, in de zin van overtuigend. Maar de lezer hoeft die visie niet te volgen.

Niet prescriptief dus, maar het libretto is wel absoluut: het bestaat tegenover iedereen (naar analogie met het juridische begrip van geldend tegenover iedereen). Er valt ongetwijfeld te twisten over de betekenis en je kunt stellen dat betekenistoekenning de tekst, mede, maakt, maar de tekst zoals die er ligt, is de tekst. Geldt dat niet voor een juridische tekst (vonnis, wet)? Ja, daar geldt dat ook voor, met dit verschil: voorgaande versies, afgekeurde ontwerpen, uitspraken van lagere instanties, liggen als afgevallen bloemblaadjes om de uiteindelijk verkorene heen. Maar een jurist leest zo'n vonnis of wet wel in wisselwerking met die andere versies. Wat het libretto betreft, kan het literatuurwetenschappelijk van belang zijn om de tekst van de legende zoals die is opgesteld door de twaalfde-eeuwse Marcabru te kennen, maar voor mij als lezer is dat niet echt nodig. *L'amour de loin* schept een nieuwe eigen wereld, is in zekere zin autonoom. Een arrest als dat van de Hoge Raad uit 1945 vult de bestaande juridische wereld op dat punt aan, zij het revolutionair.

Niet prescriptief, wel absoluut, maar niet uit-sluitend. Het libretto sluit niet uit dat opnieuw een zelfde soort werk over dezelfde thematiek vanuit dezelfde invalshoek wordt geschreven. Het is zelf een bewerking van een bestaand verhaal. Alleen overschrijven (zonder bronvermelding) mag niet. Vonnissen en wetteksten worden daarentegen voortdurend overgeschreven, want in alleen die woorden gelden zij.

Dat kenmerk van wat ik maar noem niet-uitsluitendheid heeft mijns inziens te maken met het gegeven dat een verhaal of gedicht niet eenduidig is. Een juridische tekst is dat evenmin, maar er wordt gestreefd naar het zoveel mogelijk uitsluiten van multi-interpretabiliteit. Een literair auteur kan wel proberen om zijn visie en verhaal zo overtuigend mogelijk te brengen, echt uitsluiten kan hij die meervoudige verstaanbaarheid niet. Multi-interpretabiliteit is gegeven met het metaforische gehalte van een verhaal of gedicht. Wanneer je het ene uitdrukt in termen van iets anders, beïnvloeden uitdrukking en het uitgedrukte elkaar wederzijds, hetgeen een vergroting en verfijning van betekenissen met zich brengt. Je zou ook nog kunnen zeggen dat literatuur als duiding van het één (de wereld of het uitgedrukte) in termen van iets anders (de uitdrukking ofwel het verhaal etc.) zelf een grote metafoor is. Geldt dat niet voor het recht? Is dat niet ook een grote metafoor (voor het leven)? Ja, maar in zijn uitvoering, door de combinatie van abstrahering, deductieve denktrant, definitorische precisie en dwingendheid, vernauwt het recht de mogelijke betekenissen van de werkelijkheid, eerder dan dat het dient als vliegwiel voor het vergroten, verruimen en nuanceren daarvan.

Door deze combinatie van eigenschappen (niet-prescriptief, onontkenbaar en autonoom, niet-uitsluitend en multi-interpretabel) schijnt het mij toe dat literatuur een zekere ruimtelijkheid bezit. Om een verhaal als dat van Maalouf kan ik als het ware aan alle kanten heenlopen. Ik kan er ook 'doorheen' lopen, de betekenis ervan beschouwen vanuit één van de erin aanwezige invalshoeken. Iedere nieuwe ingang die het mij biedt, verschaft mij zicht op andere aspecten van de erin beschreven gebeurtenissen. De werkelijkheid waarnaar het verhaal verwijst (maar niet direct, zie het vliegwiel van de metaforiek) wordt zo ook van nieuwe schaduwen voorzien. Nieuwe facetten treden aan het licht. Het verhaal biedt zodoende niet zozeer zelf een 'vision oblique' op de werkelijkheid. Het verschaft mij de middelen tot het ontwikkelen van zo'n visie, zodat ik mij een voorstelling kan maken van de diepte, de reikwijdte en het potentiële bereik van aspecten van die werkelijkheid.

Tragische beslissing

In relatie tot het fenomeen familie en het recht daaromtrent zet *L'amour de loin* mij althans aan het denken over de dilemma's die verbonden zijn met het doen van keuzes, met het nemen van beslissingen ter realisering van een bepaald verlangen. Het verhaal roept het besef op van aspecten die daarmee zijn gemoeid – of het nu gaat om het verlangen van de wetgever tot het maken van een 'goede' wet, het verlangen van de rechter tot het geven van een rechtvaardig oordeel of het verlangen van een erflater tot bevoordeling van de een boven de ander.

Een aspect van een dergelijke beslissing is bijvoorbeeld de onontkoombaarheid: 'J'ai appris à parler du bonheur, à être heureux je n'ai point appris', zingt Jaufré. Wanneer hij verneemt dat het voorwerp van zijn verlangen, de verre prinses, daadwerkelijk bestaat, dat zij ook van zijn bestaan afweet en zijn gedichten kent, moet hij zijn lied in haar bijzijn zingen. Maar, onlosmakelijk daarmee verbonden nadeel, verliest dan het bestaande alle kleur voor hem; het verliest zich in grijstinten. Ook de prinses wil niets meer weten van een huwelijk met een politiek-strategisch correcte echtgenoot waarmee zij de belangen van haar eigen land kan veiligstellen.

Onontkoombaarheid, onlosmakelijk nadeel, maar ook de tragiek die samengaat met de realisering van het verlangen, met het slagen van het doel van de beslissing. Jaufré kan de confrontatie met de Ware niet aan: 'de loin, le soleil est lumière du ciel mais de près il est feu de l'enfer!' Die confrontatie ondermijnt wat uiteindelijk zijn levensdoel bleek. Hij kan er niet meer over zingen. Zo is dan ook de rol van de taal (en poëzie): het brengt de troubadour en zijn prinses tot elkaar, maar vormt ook een tweezijdige spiegel waarin zij ieder zichzelf zien.

De erfrechtelijke casuïstiek kent genoeg voorbeelden van verlangen najagende erfgenamen. Ook de wetgever kan zich door een te eenzijdige opstelling laten meeslepen. Maar op dat niveau speelt de vergelijking niet. *L'amour de loin* brengt de tragische dimensie die eigen is aan iedere beslissing onder de aandacht. Ofwel: de schaduw ervan. Met betrekking tot het nieuwe erfrecht zelf kan het verhaal over de ambivalentie van het ongeluk, en het geluk, dat troubadour Jaufré en zijn prinses ten deel valt misschien iets duidelijk maken omtrent de strekking van de omslag die dat recht maakt. Het kan iets zeggen over de betekenis van de veranderingen die dit recht verwoordt en bewerkstelligt. Een oordeel geeft het echter niet. Plot noch personages van *L'amour de loin* hebben directe juridische relevantie. Zelfs thematisch staat het verhaal ver van de juridische realiteit. De relevantie van deze literatuur schuilt in de poëtische kwaliteit, in de vorm. Niet in de taal maar in dat wat te maken heeft met het wezen van literatuur. De juridische lezer die zich kan losmaken van zijn denkkader en zijn verbeelding de ruimte laat, kan in deze tekst de stimulans vinden tot het ontwikkelen van nieuwe visies op zijn vak.

Taal en de synthese van beeld, klank en kleur

Hanneke van Schooten

'The question is', said Alice, 'whether you can make words mean different things.' 'The question is', said Humpty Dumpty, 'which is to be master - that's all.'

Het beeld en de werkelijkheid

De onlangs overleden jurist en historicus Daniel Boorstin (1914-2004) stelt in zijn boek *The Image* (1962) dat wij leven in een wereld waarin het beeld interessanter is dan de werkelijkheid: waarin het beeld de werkelijkheid is geworden. De schaduw, schrijft hij, heeft het origineel vervangen. Dat wat gebeurt in de werkelijkheid noemt Boorstin 'pseudo-gebeurtenissen'. Deze platoonse gedachte is in een iets andere vorm terug te vinden in het autobiografische werk van Sartre. Sartre beschrijft in zijn boek *Les Mots* (1965) hoe hij als kind de wereld leerde kennen door het beeld. In de bibliotheek van zijn grootvader keek hij naar de plaatjes in de Grote Larousse. Hij ontdekte er landstreken, steden, machines, flora en fauna. Buiten de muren van deze kamer vond hij geleidelijk aan de werkelijkheid die model had gestaan voor al die afbeeldingen. Ik herken in Sartre's beschrijving de sterke ervaring die ik als kind had, toen ik voor het eerst Frankrijk bezocht. De kleine pleintjes van de pittoreske dorpjes, de dorpsfonteintjes, de geraniumbakken, de oude huizen met luiken en het strijklicht over de muren, alles wat ik kende van beelden en uit boeken lag daar voor me. De gedachte dat dit Franse dorp hier met al zijn typische kenmerken er altijd al was, lang voordat ik het door de beelden leerde kennen, frappeerde me. Vooral de volgorde hield me bezig: dat het beeld vooraf ging aan de werkelijkheid. En ook besefte ik dat ik een immense hoeveelheid beelden kende, die ik in de werkelijkheid nooit zou leren kennen. De wereld is te groot en het leven te kort om het allemaal te zien. En waar zat nu precies het verschil tussen beeld en werkelijkheid? Het beeld leek me mooier, vollediger, meer af. De werkelijkheid, zoals die daar voor me opdoemde in dat Franse dorp, had iets brokkeligs en iets ongrijpbaars. Sartre schrijft over de samenhang tussen de afbeeldingen en de werkelijkheid, dat hem, met de plaatjes uit de Larousse voor ogen, de apen in de dierentuin minder aap leken en de mensen in de Jardin du Luxembourg minder mens.

Het raadsel van de betekenis
Taal als beeld, als symbool voor de wereld van de dingen, brengt een complicerende factor mee: haar ambiguïteit. Bij natuurlijke talen lijkt de samenhang tussen de woorden en de werkelijkheid een onuitputtelijke bron van misverstand. Meerdere theorieën in de rechtswetenschap hanteren de hypothese dat ieder mens met zijn eigen interpretatie van (de betekenis van) woorden rondloopt, en daarmee opgesloten zit in zijn eigen autistische wereld. Dit extreem gesloten idee van (de afwezigheid van) directe en heldere communicatie gaat voorbij aan het feit dat wij dagelijks en ons leven lang via taalklanken en lettertekens meer of minder zinvol communiceren. Het fenomeen dat geuite klanken een betekenis overbrengen aan de toehoorder, wordt vooral duidelijk in het buitenland. Als ik in Portugal een kopje koffie bestel (fonetisch geholpen door mijn Portugese taalgids) en ik krijg het geserveerd, dan kan ik daarbij een merkwaardig gevoel van bevrediging hebben, een gevoel van begrepen te worden. De Nederlandse situatie is principieel niet anders. Dat wordt des te duidelijker als je bedenkt hoe moeilijk het is om precies te zeggen wat je bedoelt en hoe moeilijker nog om het op te schrijven. Men kan met dat gevoel van machteloosheid en van meerduidigheid op verschillende manieren omgaan. Zo zegt de dichter Nijhoff: 'lees maar, er staat niet wat er staat'. Er staat kennelijk meer dan er staat. Ofwel er staat het ene, terwijl het andere wordt bedoeld.

De complexe relatie tussen de woorden en hun (ondergrondse) betekenis werd mij als kind voor het eerst duidelijk bij het gedicht 'Sebastiaan' uit de bundel *Dit is de spin Sebastiaan* (1951) van Annie M.G. Schmidt. Ik kreeg het boek voor mijn zesde verjaardag en mijn vader las me er regelmatig uit voor. En hoewel er gedichtjes in stonden die ik veel leuker, grappiger en mooier vond, is dit openingsgedicht mij merkwaardig genoeg altijd bijgebleven. Het raadselachtige van zo een eenvoudig en helder versje als dit, dat handelt over een spin, een spin die wil doen wat alle spinnen doen, een web weven. 't Hoeft niet buiten, 't kan ook binnen, /Ergens achter een gordijn.' Alle waarschuwingen ten spijt, volgt de spin zijn drang. 'Door het raam klom hij naar binnen. /Eigenzinnig! En niet bang. /Zeiden alle and're spinnen: /Kijk, daar gaat hij met zijn Drang!' Maar het loopt slecht met hem af. 'Binnen werd een moord gepleegd. /Sebastiaan is opgeveegd.' De stem en de intonatie waarmee mijn vader het voorlas en het geheime genoegen dat hij al voorlezend uitstraalde, zeiden mij dat er meer stond dan ik begreep. Ik ontdekte met dit versje voor het eerst dat er iets raadselachtigs is met taal. Je kunt er kennelijk een boodschap in verpakken die je soms niet kunt achterhalen, hoe vaak je die klare en eenvoudige woorden ook leest. Er staat niet wat er staat. En dat is niet een kwestie van onbekendheid met de betekenis van de woorden.

Ondanks, of misschien juist wel door helder taalgebruik, kunnen er lege, oningevulde plekken blijven bestaan in een tekst; raadsels die intrigeren en obsederen. Poëzie heeft dat in sterke mate. Het is wellicht niet zo vreemd dat ik juist die poëzie het mooist vind waarbij zich al lezend een begrip opbouwt van wat de dichter tussen, onder en achter de woorden bedoelt, terwijl het volledige begrip mij toch net weer ontglipt. De woorden creëren een wereld waarin vragen overblijven. Het gedicht, in al zijn eenvoud van taalgebruik, blijft daardoor intrigeren, lezing na lezing.

Het raadsel van de ontroering

Naast de verschillende betekenissen en associaties die woorden oproepen bestaat er nog iets dat fascineert, namelijk het fenomeen dat bepaalde woorden, geplaatst in een bepaalde volgorde, een groot gevoel van geluk kunnen oproepen. Ook dat is een raadsel. Het raadsel dat bepaalde woorden, geplaatst in een bepaalde volgorde, je zó treffen dat je overrompeld wordt en stilletjes verrukt raakt, verbaasd wordt, dat je in lachen uitbarst of dat de woorden je letterlijk als muziek in de oren klinken. Het is de ervaring van een ontdekking, een herkenning van iets wat je nooit eerder zag. De oorzaak is moeilijk te achterhalen. Poëzie is een levend organisme, stelt Kopland. Het heeft als zodanig een gestalte, het ademt en beweegt, het klinkt, het zingt en het spreekt. 'Mijn woorden zingen zich los van hun betekenissen', schrijft Nijhoff. Het eindresultaat is ontroering, waarvan de oorzaak lijkt te liggen niet alleen in een combinatie van betekenissen en het scala van associaties en beelden die deze oproepen, maar ook in het ritme, de herhalingen, de klankkleur van de woorden, de intonatie van een zin als melodie, als muziek, waardoor onze visuele ervaring - het lezen van de woorden - zich mengt met het horen van muziek en het ervaren van kleuren. Deze verbinding tussen waarnemingen en voorstellingen uit verschillende zintuigsferen - de synesthesie - is een ervaring die niet specifiek is voorbehouden aan poëzie, maar zij kan er zeer wel in tot uitdrukking komen. Arthur Rimbaud legt een dergelijke ervaring vast in het gedicht Voyelles (1871). In de vertaling van Paul Claes klinkt het eerste kwatrijn aldus: 'A zwart, E wit, I rood, U groen, O blauw: vocalen, /Eens zal ik uw verborgen oorsprong openbaren: /A, harig zwart korset van helle vliegenscharen / Die bommelend rond walgelijke stanken dwalen.' Voyelles is een van de meest becommentarieerde gedichten van de Franse literatuur. De verbinding tussen de verschillende zintuigsferen wordt in de commentaren zowel verklaard vanuit de klank van de letters alsook uit de vorm van de lettertekens. Rimbaud heeft de synthese van 'geuren, klanken, kleuren' ook toegepast in het gedicht 'Le Bateau ivre' (1871) waarin hij zintuiglijke sferen met elkaar verbindt: 'rousseurs amères' , 'phosphores chanteurs' en 'noirs parfums'.

Eenzelfde ervaring is te vinden in het autobiografische werk van Virginia Woolf. Zij beschrijft in haar boek *Moments of Being* (1940/1982) haar jeugdherinneringen aan het jaarlijkse verblijf van de familie gedurende de zomermaanden in St. Ives. Er zijn externe redenen voor de intensiteit van de eerste indrukken in de kinderkamer te St. Ives, stelt Woolf. 'De indruk van de golven of van het knopje van het jaloeziekoord; het gevoel, zoals ik het soms aan mezelf beschrijf, in een druif te liggen en door een waas van halfdoorzichtig geel te kijken.' De eerste indrukken, schrijft Woolf, zijn weer te geven in lichtgeel, zilver en groen. 'De jaloezie was lichtgeel, de zee groen, en de passiebloemen waren zilverachtig.' Ze herinnert zich vooral '(...) gebogen vormen, waar licht doorheen viel, maar zonder duidelijke omlijning. Alles zou groot en onscherp zijn en wat gezien werd zou tegelijkertijd gehoord kunnen worden; een bloemblad of een blad zou klanken voortbrengen – klanken niet te onderscheiden van wat men ziet.' Ook in Woolfs boek *The Waves* (1931) zien we deze vervlechting van zintuiglijke waarneming terug. In het eerste hoofdstuk spreken kinderen over hun ervaringen. "'Those are white words', said Susan, 'like stones one picks up at the seashore.' (...) 'Those are yellow words, those are fiery words', said Jinny."

Misschien ligt het raadsel van de ontroering bij het lezen van bepaalde poëzie wel in de vervlechting van de ervaring van verschillende zintuigen, het tegelijkertijd waarnemen van beelden, kleuren en muziek. Naast de beelden die poëzie oproept, speelt het muzikale element van gedichten een niet te verwaarlozen rol. Arjan Mulder schrijft in zijn boek over beeldcultuur (*Over mediatheorie*, 2004), dat niet zozeer het beeld, maar eerder de muziek onder dat beeld bepalend is voor de heftigheid van onze ervaring. Muziek kan in de herinnering veel losmaken. Wij herinneren ons ineens tot in detail – beelden, geuren, kleuren – hoe een bepaalde situatie uit ons verleden was, als wij de bijbehorende muziek van toen weer horen. De wereld mag dan solide en zichtbaar lijken, schrijft Mulder, in werkelijkheid is ze opgebouwd uit het meest instabiele en vergankelijke dat er bestaat: geluidsgolven. Niets is zo vluchtig en zo ongrijpbaar als muziek en niets grijpt tegelijkertijd zo diep in. Zo kan het zijn dat juist het muzikale element van de poëzie debet is aan de ontroering die wij bij lezing ervaren. Wij 'horen' de muziek met onze ogen via de lettertekens.

De mechaniek van de vermenging van verschillende zintuigsferen is ook te vinden in het werk van Marcel Proust. Hij beschrijft hoe hij, terwijl hij een 'madeleine' eet die hij in zijn thee heeft gedoopt, heel zijn voorbije jeugd plotseling voor zich ziet opdoemen (*Combray, À la recherche du temps perdu*). De associatie met de in thee gedrenkte cake uit zijn jeugd, brengt tot in detail alle herinnering uit die tijd met een grote kracht en intensiteit naar boven: de motor voor het ontstaan van zijn oeuvre. Ook hier zien we een vermenging van verschillende zintuigsferen krachtig inwerken en leiden tot een ontdekking, een herkenning, een ontroering. In essentie is deze ervaring een ervaring van het nu. Zodra het gedicht uit is, is zij verdwenen. Het raadsel herhaalt zich bij elke nieuwe lezing en herlezing.

De ontroering, ontstaan in een combinatie van waarnemingen uit verschillende zintuigsferen – terwijl onduidelijk blijft waarin die ontroering nu precies zetelt, en welke zintuigen er nu precies 'meedoen' – heb ik zelf sterk ervaren bij het lezen van Joseph Brodsky's gedicht 'Grote elegie voor John Donne', in een vertaling van Arthur Langeveld. Brodsky opent het gedicht met de zin 'John Donne is dood en alles slaapt rondom'. Niet alleen de nuchtere constatering

van zo iets onontkoombaars als de dood, die het hoogst scoort op
de lijst van verdriet en angst, ook de verwoording van dat gegeven
is onnavolgbaar mooi. De naam John Donne leent zich bij uitstek
voor de mededeling zoals Brodsky die verwoordt. De naam - een
klein gedicht in zichzelf – allitereert met 'dood' en vormt er tegelijkertijd een klankrijm mee. Ook echoot de naam na in het laatste
deel van de zin. 'Rondom' is in ritme en toon bijna gelijk aan 'John
Donne'. Afgezet tegen de contrasterende a-klank van 'alles slaapt',
die opener en hoger klinkt, wordt de gesloten laagte van de o-klank
benadrukt. De nuchterheid van de constatering steekt vreemd af
tegen de donkere klank die de kleur zwart oproept. Tegelijkertijd
staat de regel in een voortvarend, bijna optimistisch ritme. Je kunt
er, zo niet op marcheren, dan toch flink op doorstappen. Het fascinerende van het gedicht ligt mede in de herhalingen van de woorden. Een stortvloed aan voorwerpen wordt ons getoond, ieder met
zijn eigen associaties, beelden en kleuren. In staccato volgt die opsomming van voorwerpen welke zich rond het doodsbed bevinden. 'De
muren, vloer, het bed, de schilderijen, /de tafel slaapt, de kleden,
het plafond, /de linnenkast, de kaarsen, de gordijnen. /De fles, de
kopjes, schalen. Alles slaapt. /Brood, broodmes, porselein, kristal-
len glazen, /het nachtlampje, de lakenskast, de vaat, /trap, deuren,
alles is in nacht verzonken.' Deze opsomming gaat twee bladzijden
door. Kleuren en beelden tuimelen over elkaar heen. Alle woorden
staan op de juiste plaats voor het juiste ritme. De dynamiek van deze
opsomming is weer in tegenspraak met het statische beeld dat Brodsky inhoudelijk oproept: alles is roerloos, zonder enige beweging. De
beschrijving van de dode Donne in zijn kamer vormt het startpunt.
We staan 'ingezoomd' op dat beeld en we krijgen in een vast ritme
en in repeterende bewoording een steeds breder beeld: eerst het
bed, dan een kamer, een huis, een straat, een stad, een land. En alles
is bedolven onder sneeuw en alles wordt aangetroffen in diepe slaap,
het kleine broertje van de dood.

Tot slot
Aan de hand van Brodsky's gedicht heb ik geprobeerd duidelijk te
maken welke ervaringen (bepaalde) poëzie oproept. Deze ervaring
is niet voorbehouden aan Brodsky's Grote elegie voor John Donne
alleen. Ook Rimbauds 'Au Cabaret-Vert' of zijn 'Le Bateau ivre', 'Het

sneeuwt' van Faverey of Kouwenaars 'Totaal witte kamer' – om maar enkele gedichten te noemen – treffen op dezelfde wijze.

De beschreven ervaringen met taal, in het bijzonder met poëzie, vormen een rode draad die mij hebben beïnvloed en gevormd. Dat ik als jurist mijn wetenschappelijk onderzoek heb geconcentreerd op de wisselwerking tussen de woorden van de wet en werkelijkheid en dat ik die relatie bestudeer vanuit de analytische taalfilosofie en de semiotiek, is in het licht van het bovenstaande misschien niet zo verwonderlijk. Wetenschap en poëzie zijn verwante manieren om met de werkelijkheid om te gaan. De taal kan in een wetenschappelijke tekst tot 'waarheid' leiden, en tot 'ontroering' in een literaire tekst. De overeenkomst tussen de ontdekking die je ervaart bij het lezen van een gedicht en de ontdekking die je ervaart bij een wetenschappelijke vondst liggen dicht bij elkaar. Ze delen dezelfde bron. De mechaniek van de ontroering door taal is de sleutel die het slot doet openspringen.

Als De Wereld Niet Meer Telt,
Over democratie, wetenschap, Orwell en Borges

Herman C.D.G. de Regt

Het is voor mij tamelijk ondenkbaar te denken wat ik denk zonder daarbij steeds weer te verwijzen naar twee verhalen. Het ene verhaal betreft George Orwell's *Nineteen Eighty-Four* uit 1949 en het andere verhaal is in 1946 geschreven door Jorge Luis Borges (samen met Adolfo Bioy Casares) en draagt als titel 'Del Rigor en la Ciencia' (vrij vertaald als: over exactheid in de wetenschap). Dat betekent echter niet dat deze twee literaire werken van een allesbepalende invloed zijn geweest op de manier waarop ik (waarschijnlijk toch redelijk toevallig, alhoewel niet volstrekt willekeurig) denk over de wereld, mijzelf en mijn medemens. Ik durf eigenlijk wel de stelling aan dat geen enkel (wat ik nu zou noemen) literair werk mijn academisch onderzoek beslissend heeft beïnvloed.

Ter informatie, mijn onderzoek betreft het zoeken naar antwoorden op curieuze vragen als 'hoever reikt onze kennis?', 'waarom zijn wij ons van onszelf bewust?', en 'wanneer mogen wij anderen een verwijt maken?'. Het korte antwoord op de eerste vraag luidt 'zover het oog reikt', op de tweede vraag 'het is niet anders' en op de laatste vraag 'dat merken we wel'. Het lange antwoord op dit trio van vragen bespaar ik u, maar het verschilt werkelijk alleen in lengte en niet naar de inhoud genomen.

Wanneer de vraag klinkt welk literair werk dit onderzoek van mij beslissend heeft beïnvloed, wat moet ik dan antwoorden? Indien met beslissend wordt bedoeld dat het onderzoek onmogelijk zou zijn geweest zonder de invloed van bepaalde literaire werken, dat de antwoorden nooit en te nimmer aan de hand waren gedaan zonder de invloed van proza en poëzie, dan is het antwoord een voor sommigen teleurstellend, voor anderen een ongeloofwaardig, 'geen enkel'. Liever wil ik wijzen op de reeds aanwezige literaire smaak van een academicus nog voordat deze academicus is. Liever wil ik wijzen op de interesse van een onderzoeker nog voordat deze onderzoeken gaat. Het kan, in mijn ogen, niet anders dan dat er altijd al een perspectief is ingenomen (een voorkeur is ontwikkeld) op wat we doorgaans de werkelijkheid noemen, dat er altijd al een impliciete keuze (een aangeleerde smaak) tot stand is gekomen waardoor het relevante van die werkelijkheid naar voren is gekomen, lang voordat de literaire smaak tot een verantwoordelijk niveau is getild (lang voordat ons enigszins duidelijk is geworden wat literatuur is). Geloven dat een literair werk van beslissende invloed is geweest op academisch onderzoek kan ik in de regel pas wanneer iemand overtuigend weet duidelijk te maken dat hij of zij reeds als kind las in, of werd voorgelezen uit, boeken als Tom Sawyer, Alleen op de Wereld, In Tachtig Dagen de Wereld Rond, Conan Doyle's Sherlock Holmes, De Avonturen van de Baron van Münchausen, het dagboek van Anne Frank, of (inderdaad) De Bijbel, om daarna één van de vele thema's in die werken te koppelen aan het werk dat door hem of haar verricht wordt binnen de universitaire gemeenschap van wetenschappers. Overigens verwacht ik eerder dat het lezen van de Verkade albums van Jac. P. Thijsse aanleiding is geweest zich een beeld te vormen van de wereld waarin wij leven en zich tot een interesse te bepalen in een of ander aspect daarvan. Of boeken met titels als Het Heelal Onthuld, met de bijbehorende duim-animatie die de planeten laat draaien om de Zon, Beelden uit de Microscopische Wereld, tonend wat je dient te ontwaren door je microscoop, Het Raadsel van de Piramides van Gizeh Ontvouwd, met fraaie uitklapbladen van kamers en kelders, of nog eenvoudiger (zoals in mijn geval), een reeks boeken als de Geïllustreerde Jeugd Encyclopedie in 24 delen (waarvan ik overigens slechts de eerste 12 delen bezat).

Waarom zou het met de beslissende invloed van literaire werken op onderzoek anders zijn dan met de beslissende invloed van muziekstukken op datzelfde onderzoek? Of erger nog: met de beslissende invloed van televisie-uitzendingen? Laat dit niet het vreemde van de vraag zien en vooral de academische voorkeur voor de literatuur boven andere, veel meer machtige, invloedsferen – juist in onze tijd?

Natuurlijk kan men met beslissend ook iets minder dramatisch bedoelen. Literatuurcritici kunnen vrij makkelijk aangeven dat bepaalde romans of bepaalde dichtwerken van een beslissende invloed zijn geweest op hun academisch werk omdat ze zich nu eenmaal (om een andere reden, zo zou ik vermoeden) hebben gebogen over precies die roman of dat dichtwerk. Het is een object van onderzoek geworden. Dat is niet waarnaar we bedoelen te vragen wanneer we de vraag stellen welk literair werk een beslissende invloed heeft gehad op het wetenschappelijk onderzoek dat men verricht.

Iemand die een literaire smaak heeft ontwikkeld, heeft uiteraard een zwak voor literatuur die beantwoordt aan die smaak (hoe kan het anders), en die *soms* aansluit bij het onderzoek dat gepleegd wordt. De literaire smaak voert nu eenmaal de boventoon, maar de manier waarop de auteur bijvoorbeeld de vraag ter sprake brengt wat *de waarde is van wetenschap*, kan van doorslaggevende betekenis zijn in de uiteindelijke waardering van een werk als een literair werk. Dat werk kan in het volgende opzicht beslissend van invloed zijn geweest: het literaire werk sterkt mij in mijn opvatting dat het in de wetenschap uiteindelijk draait om het doen van ware uitspraken over de wereld en dat dat in onze politieke situatie van groot belang is.

Het hoge woord is eruit. Ik ben filosoof, houd van bepaalde literaire werken, en sommige van die werken sterken mij in mijn opvattingen die ik toch al heb, of doen mij ideeën aan de hand waarmee ik aan de slag ga. Deze literatuur bevestigt wat ik toch al dacht, spreekt aan, zet aan, en is van invloed op mijn wetenschappelijk werk. Zij moedigt aan, laat zich gebruiken ter illustratie, het lezen ervan is de neerslag van een smaak en een drijfveer. Er is het gevoel dat men met de schrijver ideeën deelt (of juist niet) over de prioriteit en belang van een bepaalde vraagstelling, deze keer in de vorm van een literair verhaal of een gedicht. Gegeven een bepaalde kijk op wat werkelijk is en wat relevant is aan die werkelijkheid, spreekt deze literatuur in een wetenschappelijke context aan. Sommige smaakvolle literatuur sterkt mij in mijn opvattingen, zet mij op een spoor, maar nimmer biedt deze mij argumenten aan voor hetgeen ik als wetenschapper wil verdedigen. Van invloed is de literatuur wel, beslissend niet.

Het verhaal van Orwell's *Nineteen Eighty-Four* betreft een beschrijving van een mogelijke wereld in 1984, een jaartal dat wij 20 jaar geleden zijn gepasseerd, maar dat in Orwell's tijd naar de dichtbijzijnde toekomst verwees. Het is een trieste wereld waarin de schending van de privacy door de allesbeheersende Partij zo drastisch is dat men op geen enkele wijze uitdrukking kan geven aan gedachten die niet stroken met die van de Partij, die in de vorm van Big Brother over de mensen waakt. Zelfs de gedachte iets te kunnen denken wat niet strookt met de gedachten van de Partij betekent het plegen van 'thoughtcrime'. Hiervoor wordt men onherroepelijk gestraft – op een wijze die de Partij wenst.

In een wereld waarin drie grootmachten na de grote Revolutie voortdurend met elkaar in oorlog zijn, leeft Winston Smith in Oceania, London, Airstrip One, in een troosteloos appartement in een troosteloos gebouw in een troosteloze wijk op een troosteloze wijze. Winston Smith is een werknemer van het Ministry of Truth waar hij meewerkt aan het voortdurend veranderen van de geschiedenis door de archieven te bewerken. Niemand weet meer, ook Winston niet, wat waar is en wat onwaar is. Vele lezers vinden dit op zich al een angstige gedachte: wat gebeurd is, is toch zeker gebeurd? Niet meer weten wat werkelijk is gebeurd en wat niet werkelijk is gebeurd is doorgaans voorbehouden aan hallucinerende personen. Dit hallucineren tot standaard verheffen is voor velen (terecht) volstrekt onacceptabel.

In mijn opvatting, die ik overigens deel met vele anderen, maakt het boek echter zoveel indruk doordat de typische setting uiteindelijk alleen maar bedoeld lijkt te zijn om te laten zien dat alle liefde voorwaardelijk is – iets wat eveneens onacceptabel is, althans voor verliefden, niet voor cynici. Immers, Winston, in zijn hang naar lotgenoten die eveneens het verzet kiezen, raakt verliefd op en gaat een liefdesrelatie aan met Julia. De Partij, in de persoon van O'Brien, pakt Winston uiteindelijk op en voert hem door een 'resocialisatie'-proces. In dat proces wordt marteling allesbehalve geschuwd en uiteindelijk verraadt Winston zelfs Julia. In een ultieme marteling in 'Room 101' van het Ministry of Love ('everybody knows what is in Room 101; it is the worst thing in the world') waar Winston letterlijk oog in oog komt te staan met zijn grootste angst ('in your case it's rats'), valt Winston uit elkaar. Wanneer een groep hongerige ratten op het punt staat zich al vretend een weg door zijn gezicht te boren, schreeuwt hij uiteindelijk: 'Do it to Julia! Do it to Julia! Not me! Julia! I don't care what you do to her. Tear her face off, strip her to the bones. Not me! Julia! Not me!'. Winston, in stukken, wordt later vrijgelaten en hij houdt van Big Brother.

Over deze vreselijke gedachte ga ik het hier echter niet hebben. Ik ga het hebben over wetenschap, over waarheid en over democratie.

Daarvoor is het nodig eerst wat meer te vertellen over de voor mij belangrijke passages uit het boek. Ik zal een deel daarvan parafraseren.

De Partij uit 1984 eist van haar 'burgers' dat zij hun ogen en oren niet langer geloven. Het maakt ook niet uit wat je gelooft. Indien de Partij meent te moeten argumenteren dan heeft zij altijd gelijk. Dat stuit Winston (en ons) tegen de borst. Hoe je het ook wendt of keert, de massieve wereld met haar onveranderlijke wetten bestaat. 'Stones are hard, water is wet, objects unsupported fall towards the earth's centre'. Dat zijn de strohalmen waaraan iedereen zich altijd kan vasthouden, hoe erg het ook is. Winston ziet hier ook de connectie met het gevoel van vrijheid: 'Freedom is the freedom to say that two plus two make four. If that is granted, all else follows'. Jammer dat Orwell hier een rekenkundige uitspraak kiest. Beter was het geweest wanneer hij hier had gesteld: vrijheid is de vrijheid te zeggen dat water op zeeniveau kookt bij 100 graden Celsius. Een kniesoor die daar op let, aangezien we direct inzien wat Winston bedoelt te zeggen.

Eén van de verschrikkelijke gebeurtenissen is dat dit '2 + 2 = 4' in 1984 niet opgaat. En dat wil er bij ons natuurlijk niet in, realisten als wij allemaal zijn. Maar voor de Partij is het duidelijk dat de werkelijkheid, die onuitstaanbaar kan zijn, maar waarop wij ons altijd kunnen beroepen, slechts bestaat in 'the mind of the Party':

'Whatever the Party holds to be the truth, is truth. It is impossible to see reality except by looking through the eyes of the Party. That is the fact that you have got to relearn, Winston. It needs an act of self-destruction, an effort of the will. You must humble yourself before you can become sane.'

Hoe plausibel kan Orwell die gedachte maken? De gedachte dat er geen van mij onafhankelijke wereld is, die in al haar meedogenloosheid mij desalniettemin altijd ter beschikking staat wanneer de nood het hoogst is? Verschillende visies zijn mogelijk op de marteling van Winston in *Nineteen Eighty-Four*, maar voor nu is het genoeg te zien dat het vrij makkelijk is om Winston te laten geloven dat twee plus twee niet altijd vier is. Martelen is effectieve retoriek.

O'Brien steekt zijn hand op. Hij laat vier vingers zien met daarachter de duim verborgen en vraagt aan Winston hoeveel vingers hij ziet. Winston zegt wat wij allemaal zeggen: vier. Vele martelingen later roept Winston 'Vijf!' in de hoop dat dat de ondraaglijke pijnen weg zal nemen. O'Brien antwoordt: 'No, Winston, that is no use. You are lying. You still think there are four. How many fingers, please?'. Opnieuw volgt de onmenselijke foltering van het lichaam en Winston roept uit dat hij alles wil zeggen wat O'Brien maar wil, zolang dat de pijn maar wegneemt. De marteling kent de gebruikelijke tussenpozen van relatieve rust en afwezigheid van pijn. Winston huilt dat hij toch niets anders kan antwoorden dan vier; 2 + 2 = 4 en hij ziet toch echt vier vingers. In 1984 is twee plus twee echter soms vijf, soms drie, soms vijf èn vier èn drie. Na het begin en het einde van een volgende sessie weet Winston niet meer hoeveel vingers O'Brien opsteekt. Vier? Vijf? Zes? Deze marteling eindigt met het moment waarop O'Brien vier vingers opsteekt en Winston er toch echt vijf ziet. 'You see now,' said O'Brien, 'that it is at any rate possible.'

Winston is echter nog niet gebroken. Het breken van Winston komt in Room 101. (Deze naam staat zo erg symbool voor alles wat we nìet willen, voor alles waartegen ons modern idee over de mens zich afzet, dat het betreurenswaardig is dat de bijna smetteloze BBC de naam gebruikt voor een puur entertainment programma waarin bekende Britten modegrillen, speelgoed, muziek en personen naar Room 101 praten. Hetzelfde geldt overigens voor de commerciële Nederlandse omroep en het programma Big Brother, waarin een groep mensen 24 uur per dag 'in de gaten' werd gehouden. Maar dit alles terzijde.)

Het breken van de laatste mens van Europa komt in Orwell's Room 101. Daar breekt Winston, door het besef dat zelfs de laatste strohalm waar hij zich al die tijd aan kon vasthouden, zijn werkelijke en onvoorwaardelijke liefde voor Julia, niets voorstelt wanneer de omstandigheden extreem zijn. Hij laat zijn liefde voor Julia vallen ('If they could make me stop loving you – that would be the real betrayal'). Hij komt tot de ontdekking dat zelfs zijn liefde voorwaardelijk is, terwijl liefde het nu eenmaal niet toestaat te concluderen dat zij voorwaardelijk is; Julia de knagende ratten willen aandoen, is voor Winston zelf onbegrijpelijk en 'he goes to pieces'. Ook hierover wil ik nu liever zwijgen. Het gaat vooralsnog om het idee dat Winston in een toestand is gebracht van constante en fysieke vertwijfeling: welke coherentie heeft zijn denken over de wereld, inclusief zichzelf en zijn medemens, eigenlijk nog? Het gaat vooralsnog om het idee dat de werkelijkheid (het geheel van wat het geval is) niet alleen geweld wordt aangedaan, maar weg is. Het is niet eens zozeer de mogelijkheid 'that you can fool all of the people all of the time', maar veel meer het idee dat je niet eens weet of je voor de gek gehouden wordt of niet! Eerder dan het idee dat je van alles op de mouw gespeld krijgt, is het het idee dat er niet eens een werkelijkheid is die houvast biedt (zelfs in het geval van de allersnelste leugen is er in ons de hoop dat deze achterhaald zal worden door de waarheid – niet in 1984, waar het concept van leugen niet langer bestaat).

Wij hechten aan het idee dat een uitspraak over de wereld waar of onwaar is (ook al is niet te traceren of de uitspraak waar of onwaar is). Wij vinden dat de wereld telt. En als de wereld niet meer telt dan ligt er gevaar op de loer. Het gevaar kan zelfs zo groot zijn dat het ons rechtssysteem en onze democratische staatsorde ondermijnt, zoals dat in Orwell's Nineteen Eighty-Four gebeurt. En dat is de reden waarom we zo aan wetenschap hechten. Ik bedoel niet eens zozeer het instituut 'Wetenschap' maar veel meer nog de methode die ten grondslag ligt aan wetenschap: het doen van onderzoek onder de aanname dat er een wereld is die onafhankelijk is van mijn denken. Zoals Orwell's Party een instantie is die niet eens zozeer alle mensen altijd voor de gek houdt, maar die het idee van een wereld als zodanig opgeeft, zo is wetenschap de instantie die niet eens zozeer alle mensen op enig moment hetzelfde laat denken, maar die het idee van een 'externe permanentie' aandraagt als een manier om de contingentie van onze opvattingen kwijt te raken.

In feite is wetenschap niet veel anders dan Orwell's Partij, maar anders dan de Partij kent wetenschap geen politieke voorkeur en is ze goedaardig. Goedaardig in de zin dat de wetenschappelijke methode ons uitsluitsel geeft over de structuur van de wereld en ons tegemoet komt met antwoorden op voor ons soms cruciale vragen. Wetenschap levert ons daarbij ook het onderscheid aan tussen kwesties van smaak en kwesties van zaak. In voor ons cruciale dilemma's (vaak zijn dat ethische kwesties) waar wetenschap, gegeven onze doelen en voorkeuren, geen keuze voorschrijft, daar maakt ze dat wij moeten concluderen tot een kwestie van smaak. Vandaar dat wetenschap en democratie zo innig met elkaar verbonden zijn.

Het is mij er niet om te doen, wetenschappelijke instellingen en instituten lyrisch te bezingen of te bewieroken. Het is mij te doen om het idee dat wetenschap met haar methode (die hierin bestaat dat we een 'externe permanentie' postuleren) ons de mogelijkheid biedt waarheid serieus te nemen. Ik meen dat dit belangrijk is wanneer we nadenken over de inrichting van onze samenleving en concluderen tot een democratie. Eén van de kenmerken van een democratische inrichting van de samenleving is toch dat we geen genoegen nemen met struisvogeltactiek, met autoriteitsdenken, en met kwesties van smaak waar dat niet nodig is. Uiteraard zijn er gelegenheden dat ook een democratie zich laat zien van haar ergste kant, maar altijd is er toch de gedachte dat wat we doen de instemming heeft van de meerderheid en dat we niet kunnen willen wat nu eenmaal niet het geval is. Democratie en wetenschap vormen inmiddels een tandem, waarbij de keuze aan het stuur zit, maar waarbij de werkelijkheid op de rem staat.

Nogmaals, ik bedoel met wetenschap niet iets speciaals. Ik bedoel met wetenschap precies dat wat in Oceania, London, Airstrip One, wordt ontkend: vorig jaar (2003 A.D.) was er oorlog tussen Irak en de Verenigde Staten. Natuurlijk kunnen de woorden iets anders gaan betekenen waardoor we op een later tijdstip zullen zeggen dat er geen oorlog was in 2003 tussen Irak en de VS, maar gegeven dat we begrijpen wat we bedoelen met de woorden uit de bewering (oorlog, 2003, Irak, VS) is het zo dat er oorlog was of niet, en er is niets buiten de wereld dat hier telt.

Als mijn dochters (van 8 en 6) alvast een koekje pakken uit de trommel zonder dat ik het zie en ik vraag bij het uitserveren van de thee of ze al een koekje bij de thee hebben gehad, dan kunnen we eindeloos steggelen over de vraag of een koekje vlak voor de thee ook al een koekje bij de thee was of dat een koekje bij de thee een koekje-bij-de-thee zou moeten zijn, maar wanneer ik begrijp wat zij bedoelen met de woorden die ze gebruiken, dan is er ook een werkelijkheid die wel of niet aan de beweringen van mijn dochters beantwoordt. Punt uit.

En nogmaals, de wetenschappelijke methode die ik en mijn dochters beoefenen in het beslechten van de kwestie en die historici in de toekomst zullen gebruiken om vast te stellen wie wanneer in oorlog was, is er één die uiteindelijk een voorwaardelijk karakter draagt. Desalniettemin komen wij tot de voorlopige conclusie dat

'There are real things, whose characters are entirely independent of our opinions about them; those realities affect our senses according to regular laws, and, though our sensations are as different as our relations to the objects, yet, by taking advantage of the laws of perception, we can ascertain by reasoning how things really are, and any man, if he have sufficient experience and reason enough about it will be led to the one true conclusion'

zoals C. S. Peirce concludeert in zijn 'The Fixation of Belief' (1877). En deze opvatting, noem het realisme, gaat in tegen een Orwelliaanse Partij-politiek. Vandaar dat ik vaak verwijs naar Orwell's Nineteen Eighty-Four wanneer ik met mijn studenten spreek over wetenschap, en liever nog over wetenschap en democratie.

Direct daaropvolgend moet ik echter bekennen dat deze positieve en zonnige kijk op wetenschap, werkelijkheid en waarheid, althans op het eerste gezicht, acuut verdwijnt achter de meest donkere wolken wanneer ik mijn voorkeur aangeef voor een ander literair werk. Dit werk is ultrakort zoals het de schrijver, Jorge Luis Borges, betaamt. Het is zo kort dat ik het hier in zijn geheel kan citeren. Het wordt gepresenteerd (door Borges en Bioy Casares) als een fragment uit *Reizen van Behoedzame Gezellen (1658)*, Boek IV, cap. XLV, uitgegeven te Lerida, en als geschreven door Suárez Miranda:

"... In dat Rijk bereikte de Kunst der Cartografie zo'n Volmaaktheid dat de kaart van één enkele Provincie een hele Stad in beslag nam, en de Kaart van het Rijk een hele Provincie. Met de tijd voldeden die Bovenmatige Kaarten niet langer en de Colleges van Cartografen maakten een Kaart van het Rijk die de omvang van dat Rijk had en er zorgvuldig mee samenviel. De Volgende Generaties, de Studie van de Cartografie minder Toegedaan, begrepen dat die uitgebreide Kaart Nutteloos was en leverden hem niet zonder Meedogenloosheid over aan de Onbarmhartigheden van de Zon en van de Winters. In de woestijnen van het Westen staan nog uiteengevallen Brokstukken van de Kaart, bewoond door Beesten en door Bedelaars; in het hele land is geen enkel ander relikwie van de Aardrijkskundige Disciplines te vinden."

Weg is het idee dat waarheid en wetenschap er toe doen! Weg is het idee dat er een innige band is tussen wetenschap en democratie! Het fragment maakt in één oogopslag duidelijk hoe fragiel de keuze voor wetenschap kan zijn. Immers, de cartografie die 'in dat Rijk' in steeds grotere precisie wordt bedreven, kan makkelijk symbool staan voor de wijze waarop de wetenschap tracht de wereld in kaart te brengen, de werkelijkheid poogt te karteren. Het toont hoe wetenschap als vanzelf een weg inslaat die tot iets absurds leidt: een kaart die samenvalt met wat in kaart wordt gebracht. Wetenschap is belachelijk geworden. Wetenschap is nutteloos geworden. En dan volgt het onvermijdelijke noodlot voor de wetenschap, die doorgeschoten cartografie: de Volgende Generatie keert de wetenschap de rug toe. In mijn visie betekent dat dat de weg vrij is gemaakt voor een scenario dat regelrecht zou kunnen leiden tot een Orwelliaanse Partij die de burgers van Oceania in 1984 volledig in haar macht heeft. Ik wens dit niet. U waarschijnlijk ook niet. Hoe voorkomen we dit dan?

Dat gebeurt mij wel vaker. Dat een tekst, vrijwel altijd van Borges (ik kan mijn smaak niet helpen), mij aanzet tot verder nadenken. Maar hoe nu verder? Klaarblijkelijk roept het idee van een perfecte wetenschap hilariteit op, maar belangrijker nog, het maakt duidelijk dat we wetenschap, om het te hebben, ook moeten willen.

Het willen van wetenschap is niet vanzelfsprekend. Het is zeker niet vanzelfsprekend wanneer we wetenschap aanvaarden als iets wat om zichzelf wordt beoefend. Wetenschap als 'truth for its own sake' (de nutteloze wetenschap, de vrije wetenschap, voor sommigen een andere benaming voor filosofie, zoals in Aristoteles' Metafysica) slaat de grond weg onder haar eigen voeten. Een kaart die samenvalt met wat zij karteert is inderdaad nutteloos omdat zij niet meer voor iets dient, behalve als een kaart die we hebben omwille van het hebben van een kaart. Gebruikmakend van de wetenschappelijke methode moeten we oppassen dat we niet streven naar een model dat samenvalt met wat het modelleert – dat is namelijk onzinnig.

Op elk moment, gegeven een willekeurige mate van precisie in wat wij wetenschap noemen, kan een Volgende Generatie besluiten dat wetenschap geen nut heeft, al was het maar omdat extrapolatie laat zien dat een kaart die uiteindelijk samenvalt met het Rijk belachelijk is en volstrekt onnuttig. Het leven van de wetenschap hangt weliswaar aan een stevige kabel, eerder dan aan een zijden draadje, maar Volgende Generaties kunnen de kabel verzwakken door wetenschap belachelijk te maken. Op die manier staat de deur open naar een samenleving waarin twee plus twee soms vijf is, soms drie, soms vijf èn vier èn drie. En zo'n samenleving kan zich ontwikkelen tot een samenleving waarin het doel van martelen het martelen is; een 1984 waarin mensen uit elkaar worden gehaald om ze daarna niet, of op een door de heersende Partij gewenste manier, weer in elkaar te zetten. Zo'n samenleving wil ik niet, en ik heb getracht aan te geven hoe wetenschap een belangrijke rol speelt in het voorkomen van zo'n soort samenleving. Ik was echter te optimistisch te denken dat wetenschap met de democratie aan het stuur een tandem vormt. Wie zegt mij dat als de democratie stuurt, wetenschap op het tweede zadel zit? Wie zegt mij niet dat Volgende Generaties langzaam maar zeker de wetenschap van dat tweede zadel wippen, om daarna de democratie achter het stuur vandaan te halen? Hoe denkbeeldig is dit proces eigenlijk en hoe wil ik het voorkomen? Het proces is althans minder denkbeeldig dan we denken.

In 1997 verschijnt van Alan Sokal en Jean Bricmont in Frankrijk hun boek *Impostures Intellectuelles* (Parijs, Odile Jacob). Het boek groeit uit tot een heuse affaire. *Le Figaro* schrijft: 'C'est la guerre'. In het Engelstalige gebied wordt de kwestie gelabeld als *The Science Wars*. In Nederland brengt *De Volkskrant* de kwestie op 9 oktober 1997 als voorpaginanieuws. Wat is er aan de hand?

Sokal is werkzaam aan het Department of Physics van New York University. Sokal bedenkt een 'hoax' om te laten zien hoe erg het realisme, het denken in de veronderstelling dat er een van mij onafhankelijke wereld is, al onderhevig is aan corrosie. Hij schrijft een artikel getiteld 'Transgressing the Boundaries: toward a transformative hermeneutics of quantum gravity' waarin hij de hardste wetenschap die we kennen vermaalt in antirealistische taal die de wereld volstrekt laat verdwijnen in sociale constructies. Wat hij vreesde gebeurde: het stuk werd geplaatst in het wetenschappelijk tijdschrift *Social Text* (vol. 46/47, 217-252, 1996).

Sokal is woedend. In zijn artikel wordt namelijk zonder enige argumentatie opgeroepen tot het herzien van het heersende dogma van het realisme. En men accepteert dit als vanzelfsprekend! In de openingsalinea (nota bene) van dat artikel wordt dit dogma van het realisme omschreven als de stelling dat:

'there exists an external world, whose properties are independent of any individual human being and indeed of humanity as a whole; that these properties are encoded in 'eternal' physical laws; and that human beings can obtain reliable, albeit imperfect and tentative, knowledge of these laws by hewing to the "objective" procedures and epistemological strictures prescribed by the (so-called) scientific method'.

Dit doet mij met verbazing en zondermeer denken aan een beschrijving van de laatste strohalm van de laatste mens in Europa, ergens op een bladzijde uit het dagboek van Winston Smith, levend in Orwell's *Nineteen Eighty-Four*. 2 + 2 = 4. Sokal's 'hoax' laat zien hoe makkelijk het is om wetenschap niet langer serieus te nemen. Ik vind dat beangstigend om redenen die ik al eerder noemde.

Sokal, als anderen, maakt zich zorgen over de snelle verspreiding van het subjectivistische denken, het relativistische denken, het constructivistische denken, vanwege de consequenties die hier mogelijkerwijs aan verbonden zijn. Hij deelt ze in twee categorieën in: er is een intellectuele bezorgdheid en een politieke bezorgdheid. De intellectuele bezorgdheid betreft het feit dat dit denken onjuist is: 'there is a real world; its properties are not merely social constructions; facts and evidence do matter; what sane person would contend otherwise', zo stelt Sokal in *Lingua Franca* (1996) waarin hij zijn actie toelicht. Zijn politieke bezorgdheid verwoordt hij zo: 'theorizing about the "social constructions of reality" won't help us find an effective treatment for AIDS or devise strategies for preventing global warming. Nor can we combat false ideas in history, sociology, economics and politics if we reject the notions of truth and falsity'. Het opgeven van wetenschap en haar methode van onderzoek kan zomaar leiden tot een politiek die we niet willen.

Maar het fragment van Miranda uit 1658 laat in één keer zien hoe volstrekt machteloos deze op zich te appreciëren analyse van Sokal en Bricmont is. Volgende Generaties zouden wel eens kunnen lachen om een wetenschap die het in zich heeft om in het licht van de waarheid volstrekt nutteloos te worden! Hoe voorkomen we dat wetenschap bij het oud vuil wordt gezet nadat deze onhandige kaart met wat moeite gelukkig opvouwbaar is gebleken?

Wat we moeten beseffen, denk ik, is dat we steeds weer aan Volgende Generaties duidelijk moeten maken waarom we wetenschap willen hebben. Dat is niet omwille van de wetenschap zelf. We moeten niet de waarheid willen hebben omwille van het hebben van de waarheid. Wetenschap heeft slechts waarde in dienst van een doel dat buiten de wetenschap ligt. Dat doel buiten de wetenschap zal aan Volgende Generaties duidelijk gemaakt moeten worden. Dat doel zal hopelijk zijn: het inrichten van de staat op een democratische wijze. Dat ze dat willen, zoals wij dat willen, is echter slechts een hoop. Het stemt mij pessimistisch dat George Steiner in het debat na afloop van de tiende Nexus-lezing (2003) in de Aula van de Universiteit van Tilburg op een vraag vanuit de zaal antwoordde dat de democratie wellicht niet voor alle urgente problemen de oplossing is. Dit kan toch niet waar zijn?

Ik hoop, en ik hoop dat u mij helpt hopen, dat Volgende Generaties inzien dat in ieder geval het streven naar democratie altijd te verkiezen is boven het streven naar andere staatsvormen en rechtsordes, zelfs boven het aantrekkelijke alternatief van het verlicht despotisme. Dit kunnen we alleen doen door die Volgende Generaties op een bepaalde manier op te voeden. Essentieel onderdeel van die opvoeding is laten zien dat wetenschap functioneel is in het in standhouden van datgene wat wij op dit moment waardevol vinden. Niemand kan voorspellen wat de geschiedenis zal leren. Er is alleen een hoop. Tot die hoop concludeer ik iedere keer weer, hoelang ik ook nadenk naar aanleiding van twee literaire werken. Nu meer pregnant dan voorheen zou ik opnieuw willen zeggen: van invloed is literatuur, beslissend is ze niet. Beslissend zijn de keuzes die we maken.

Tilburg, 'on a bright cold day in April', 2004

Over de auteurs

Prof.dr. Wil A. Arts is Hoogleraar Sociaal-culturele wetenschappen bij de Faculteit der Sociale Wetenschappen

Mr. Carinne Elion Valter doet promotieonderzoek bij de Faculteit der Rechtswetenschappen naar Literaire conversaties met het recht

Prof.dr. Donald A.A. Loose is Universitair docent Wijsbegeerte bij de Theologische faculteit en Bijzonder hoogleraar bij de Erasmus Universiteit Rotterdam

Dr. Ron Pirson is Universitair docent Bijbelwetenschappen, Oude Testament bij de Theologische Faculteit

Dr. Herman C.D.G. de Regt is Universitair docent Rationaliteit en non-reductionisme bij de Faculteit der Wijsbegeerte

Dr. Jan Jaap C.J. de Ruiter is Universitair docent Meertaligheid in de multiculturele samenleving bij de Faculteit Communicatie en Cultuur

Dr. Hanneke van Schooten is Universitair docent bij de Faculteit der Rechtswetenschappen, Departement Staats- en Bestuurskunde

Dr. Karel A. Soudijn is Universitair hoofddocent Psychologie en Gezondheid bij de Faculteit der Sociale Wetenschappen

Prof.dr. Willem J. Witteveen is Hoogleraar bij de Faculteit der Rechtswetenschappen, Departement Encyclopedie en Rechtsgeschiedenis